실용음악성에서의 실태는 다양한 방향성을 성악의 핵심으로써 소리와 발성의 흐느낌으로써 가성이 사용이 되기도 한다 오페라성의 음악은 따지고보면 그로울링과 비슷한데 알고보면 중심부인 재활성에서 시작되는 간단하지 않는 이유로써의 손잡이 형태로 헤비메탈의 유용성이 쓰이고 있다는 것이다 오페라에서의 공통 루트이다 불같은 경우의 사람에서는 마그네슘 가면들이나 분장의 의식들이 있다는 것이다 또한 폴란드 독일 동부서부 지역의 흐름으로써 강하게 작용하는 보컬 리티적인 장르로써 음악을 듣는다는 것이다 빵을 많이 먹으면 폴란드쪽 음악과 독일의 음악적 구상이 생긴다는 것이다 또한 미치지 못한 리듬으로써와 외모로써도 다양한 이치에 관한 집행성이 있다는 것이다.축제나 페스티벌 같이 여러분석으로 통하면 기초 아마추어 프로가 있다는 것이다 그럼으로써 이질성이 있는 관련된 서적들을 보기도 한다 서적에서는 역사의 기법이 나와있다는 것인데 얼굴이 지나치게 못생기거나 잘생기면 안면구도상법 묻히게 되어있다는 것이다 그러므로 기본적인 적합성을 따져야 한다 오페라의 무대에서는 귀신의 유령적인 모습들과 전구 하나밖이 없는 그림자의 사진들이 있다는 것이다 가스통 를루에서 는 가면을 낀 역사성으로써 관련된 구절을 할려는것과 하는 것이 적당하다는 것이다

또한 영화의 필름 제작과정과 기초적인 부분에서 연구를 했을 때

필름에서의 카메라 렌즈나 안의 기능들을 계속해서 높은 성향을 뛰는것으로써 아무나 말을 하면 인공지능으로써의 영화 스킬과 심리학적인 대본이 구상요건들을 맞추어서 카메라 앵글에 닿으면 긴 시간에서도 가기 때문에 운영의 목적으로써ㅓ 한가지 이상의 카메라나 기능들을 사용해서 안테나 기능들을 하는 것이다 슈퍼컴퓨터처럼 제조가 되것으로부터 시작이되는 시대가 온 것이다 극본ᄎ의 성질을 더욱 업그레이드를 시키는 것인데 영화에서의 필름구도상의 안쪽은 구면도로 생각을 할 수있다는 것이다 카메라에서의 흘리는 카메라 앵글에서의 익스트림 클로즈업에서의 그 안에 배우들의 정서나 감정을 아주가까운 곳에다가 해볼수있다는 것이다 또한 동상에서도 필름의 형식이 나오는 것이다 그이후에 안에있는 필름조명으로써 인해 카메라가 심리적인 상황이 기능을 전제하에 한다는 것이다 이러한 면에서도 카메라의 촬영기법을 놀라게 성장시키고 있다는 것이다 또한 스턴트맨 촬영감독 조명에서의 나눔으로써의 양자형태가 있음으로써 결과가 있다라있다것이다 그리고 신체에서의 무중력과 가중력이 있는가하면 중심부에 시작하지 않는 신체연구이 있다는 것이다 신체에서의 물리학적인 북남에 대한 기술성에 전개가 되어있다는 것이다 또한 신체연극에서의 몸과 인체적인 형태나 Z자와 yx에 관한 룰이 있다는 것이다 그럼으로 신체를 3차원 개념으로써 잡는 것이 형식적인 것이다 그리하여 어떤부위의 신체가 잘맞으면 신체에서의 조직도 까지의범위내에서 흘러들어간다는 뜻이다 또한 기능적인 신체가 활동성이 있게 해설하자면 하나의 훈련방싯들이 필요한 것이다 손과 손이 맞닿는 상태에서 배를 치고 중력이 가하며는 발성 호흡형태로도 진화시키는 것이다 이 일반적인 형태소와 주먹으로 무릅과 다를 쓰이게 털어주는 것이다 이러한 기능으로 구조들로써 가져가야하고 극본의 활용성에 대해서도 알아봐야한다 면줄이지만 연중를 구슬과 점을 잘봤으면 한다 무대에서의 어느규격으로써 사용이 되는 것이기에 내용에 관해서 묻는것도 있지만 무대의 타당성으로써 파악을 해서 신체의 본질적인 효과를 넣게 된다면 신체는 기본적으로 팔주위나 다리주위를 계속해서 업축을 시키는 것이다 그렇게 되면 신체를 점점 풀어지고 융통성과 유연성으로써 기본형태의 응영률을 높이게 되어 신체연극이 될 수 있다 영화속 심리나 연극속의 심리는 어떻게 측정하느냐에 대한 문제를 제기할 때 왜 신체를 이용해서 걷고 있냐

라는 것이다 내가 왜 훈련속을 봐야하지?? 어떠한 배경의 농도로써 감정의 기복이 생기는 것일까>? 아니면 정서적기법이 어떤 것일까 내가 왜 동물일까? 라는 논의 인 것이다 예를 들어서 돌부리에 넘어졌는데 어느한 점에 사고화되는것일까 에 대한 것이다 인간이라는 핵심적인 기초것이다 또한 기억력으로써의 절대로의 기능을 하지않는 심리적범위이기도 하다는 것이다 본질에 대한 탐구가 중요한것인데 이러한 것은 수학 공학 예술에 인문의 범위내서 내가 드디어 깨닫는 것이다 철학적 범위내에서 손쉽게 이어져있는 것인데 알고리즘에서의 기능으로써 자발성을 들어낸다는것인다 왜 이항목에서 심리적배겨을 연구를 끝나는것까가 아닌 생각이나 심리상태가 온전해 질려면 시학에서의 눈을 감아주기도되는데 몽타주기법으로써의 한 장면장면 연기에서의 대본에 극대화되거나 반전의 요소들이 있는 상황에서의 심리적 갈등속에서 답이 나온다는 것이다 또한 이 카메라와 사운드에 대한 것인데 사운드성의 진리성과 일반성을 따졌을 때 기호학적인 음향이라고도 하는 뭐든 한 조건이 있다는 것이다 영화안의 미스테리적인 관능적 상황이라던지 공포적인 의인화를 표현하는데 반해서 기계적인 성능을 더불어 하는 아이로봇 에일리언 등이 있다 이러한 공학사들은 만약 진정한 상황에서 어던 액팅을 하며 시학적으로 바라봤을 때 이모션 기법들을 어떻게 상속하는 것이다 파라노말 액티비티에서는 반드시 필요요청을 하는 시기로써 암흑의 신비주의의 사상들로써 들이닥치는 공포 다큐멘터리다 실제로 공포영화가 아니더라도 주윤발배우가 크라켄이나오기 전 상황에 데비존스의 액팅을 바라봤을때와 같은 현상이며 주온에서 벽에 나온 귀신이 섬뜩하게 신체를 가하여 사람을 안에다 놓고 가상화를 시킨 부분의 장면이 있다는 것이다 미국 공포에는 지리적특성 성장의 특성 기밀의 특성들이 존재하며 공포를 터물어한 영화장르가 나타나기도 한다 반전영화 가운데 유즈얼 서스펙트는 신체적인 장애의 특징으로써 카시오소세라는 의미를 두고 주인공의 연기를 탐색할수있다는 것이다 또한 메멘토같은 시간의 흐름성에대한 미래와 과거의 정서적특성이라고 할 수 있겠다는 것이다 그리고 식스센스의 나중에 발각이 되는 6개의 감각이라고도 말할수있다는 것이다 또한 오편천사의 비밀에서도 나중에 사회를 끔찍하게 잘 표현한 내용이다 그러함으로써 나중에 미래적 장소의 특징같은 도 몇 개의 영화들이 탄생한다 샤이닝이나

아메리칸 사이코 그리고 미스테리인 케이브같은 영화들이라는 것이다 샤이닝 주인공은 눈이 뒤덮인 마을에서의 아이의 사랑을 몰라주는 탓에 살인을 저질러들려고 하는 것이다 아메리칸 사이코는 직장상사에 가진것없고 실질적으로 여성들에게 미쳐가는 형상들과 싸우는 심리적이며 공학적인 영화이다 영화속 미스테리는 이 극본에서 시작되었지만 조금만 더 낳아가는 훈련을 해주어야 한다 영화는 항상 누군가가 창조하고 누군가에게 의해서 감정을 표출하는 것으로도 들어난다 그것에 이로운점이라는 것은 텔레비전을 보고 라디오를 읽는다고는 생각할 수 있다 또한 신비주의인 네셔널 트레져에서의 보물을 찾다가 과거여행을 드나들고 하는 이유들로 다 액팅이 있어서 말하는 것이다 캐리비안의 해적에서도 주인공의 도덕적 행패와 재미를 주고 그안에서도 악역들에대한 사악한 인물들이 해적들을 조정해서 나타내는 정서이고 감정이다 철학적이면서도 뭔가 판타지적이며 궁극적인 카메라에서 CG가 들어간다는 말이 정말 정서적으로 기분이 좋은 상황들이다 또한 라디오에서도 음성녹음이나 나의 대사들 한마디 한마디 듣는 것이 중요하다 또한 언어적인 단어나 희박하지않는 장르의 모습들이 숨겨져있다면 또한 에일리언과 프레데터라는 기계적이고 바빌로니아의 문명적인 고대 해저도시를 삶게 하는 그리스의 문명도 있다는 것이다 또한 영화 괴물에 대해서도 미스테리적인 이야기를 추측할 수 있다 굉장히 이상한캐릭터의 딸이

죽음의 착오에 대해서 가족을 꾸려나가는 이들의 궁극적인 목적들이 하나하나 씩 묻어나고 있다는 것이다 그런도중 극적인 연출과 극적인 연기안에서도 기적적으로 보이는 순간도 있다는 것이다 그러한 좁은 터널이 이야기하듯이 상황을 더욱더 붉힌다는 의미로써 이야기를 낼 수 있다 왠지 외계괴수같은 느낌의 스토리인지 반전을 줄려는 의미인지에 대해서 미흡하지만 충분한 CG역할을 대단히 잘했다는 것이다 이 컴퓨터 CG안에서도 스토리전개

에서 씬에서의 차별성을 다룬의
미에 관한이야기들이다 또한 섬
세한 감정들이 들어나고 있다
영화 안과 게임안에서 둠이라는
것은 단순화되지는 않는 것이다
미국식이아닌 정석으로 말하는
미국공포의 감정의 뇌이다 그안
에서 환경,바탕,스토리전개 식으
로써 정수리 안으로서 락스냄새
들로 치우쳐져있는 계단식 미국
공포의 게임은 환경설정애서의중
심으로써의 회전이다 둠은 운명
이라는것도 내용상의 의미가 되
지만 언데드 형태의 안테나같은

류의 형식이다 또한 눈이없는 시학적인 형태의 몸이 모델화가 있다는 것이다 또한 인공위성에서의 NAVY형태의 군인들의 모습이라던지 이러한 것들이 매우중요하다라는 내용이다 둠은 바탕에서의 도구까지 소유시간이었고 언데드물질 걸을 때 운영체제에서의 실감나는 부분이있고 심리적으로 심장 박동수가 넘은 범위에 있기에 따른 것이다 또한 속도라는 치밀한 작전에서만 지구적 변환에서 대해서도 잣히 나와 있다 또한 넓은 범위에서는 언데드 3d의 몬스터들의 후방 전방에서의 무기적 행사나 지구과학적 갈라짐 형상이 나오기 마련디가 또한 이러한 장르의 게임을 보다 넓은범위에서 만들 수 있다는 것이다 또한 미래적 기법의 화학성으로써 둠이라는 해설이라는 것이 나올수있다는 것이다 스토리전개에서도 중심부인 극적인 연출이라던지 중심적인 연기에대한 힌트를 열수있다는 것이다 그리고 둠이라는게임은 브레인가이드가 있다는 것이다 이것은 맵에대한 표출력이라던지 공격성과

c.c#.c++을 동반해 unity환경을 익혀야 하는 기술들이 있는 것이다 이러한 매체를통해서 가상세계를 해결해 낳아갈수있다는 것이다 레벨이라는것의 네트워크 서버와 극성의 주장성 시놉시스가 있어야 하는 것이다 둠이라는 것은 사이언스 구조인것이므로 필름에도 가능한 VFX가 있다는 것이다 영화에서의 비디오성능을 갖추어져있지 않다 영화는 관람이 애초부터 있어야하는 공가론이라는 것이다 이매체들을 관리할 수 있는 기관지라던지 목구멍

처럼 나쁘지 않는 건강상태를 보존한다 구도를 설명할 때 충분히 비디오 기술이 들어간다.폰트를 맞추는 필름의 이야기 전개도 있듯이 플롯에서도 내용이 가장 흔한 뜻이 이로운점이라고 말할수 있다는 것이다 이러한 기능구도에서는 비디오 상식이라는 것을 알려야한다는 것이다 팩스도 마찬가지 이므로 프린팅의 영화 연출이 가능하다 제트기 같은 경우애 견딜 수 있는 케이블방송사의 형태를 여러 가지 형식의 알고리즘화가 설명이 되어있다는 것이다 먼저 유통사들의 dvd,cd롬에서 볼 수 있는 환경에서 유통울 할수잇는 방송사의 특성을 살려 또한 개념도를 설명할 줄알아야 한다는 것이다 컴퓨터 엔진은 특수효과나 한줄에서의 글쓰기라는 시놉시스 대본 시나리오 같은 것을 연계시킬수 있다는 것이다 예를 들어서 큐빅스 메가레인저라는 애니매이션 이지만 컴퓨터의 활용성을 통해서 쉽게 빠르게 움지일수있다는 것이다 그러므로 이펙트적인 것이 영화안에서 나온다는 것이다 신체를 연구하는 극장도 있다 또한 인체의 힘으로써의 영화를 제작할수있다는 것이다 인체에서의 작용은 물리적 화학적 느낌이 프로나운시에이션에서 비좁은 망으로써 신체의 안에 있는 피로써 연출하는 것이다 영상에서의 효과에서 카메라렌즈응 볼록거울을 바꾸려는 신체가 들어간다고 이야기할수있다는 것이다 하지만 오기된점을 계속 연구해보아야 하고 영화적 상식과 들어난다고 이야기 할 수있지 않는가 영화의 상식과 다른 어떠한 상식이 계속 부쳐알아야 한다고 생각한다 이러한 영상기법은 특수효과와 착시현상들을 훈련에 대해서 알수있다는 것이다 그러면서 물리적요소를 한 개씩의 가상이 한 인물을 바꿔볼수있다는 것이다 그래서 한마디로 영상론 자체에서 기본적인 과학적 구도가 있다는 것이다 카메라시선이라던지 연기를 하고 있을 때 어디를 설명할수있어야 하고 공연과 영상에서의 x-ray,를 사용할수있다는 것이다 심리적 특정상의 영화에서는 기본적으로 편집구성이 잘되어잇다는 것이다 심리적인 영화를 살짝 알아보기로 하자 심리에 집중적으로 이야기하고 해설을하고 해석을 하며 기본인체에 대한 성분을 알아봐야 한다 심리란 뇌세포에 있어서 큰틀이 맞아 떨어지면서 기본그림 상황 설명들이 된다는 것이다 생명력의 인체성 해설이 특징적적이이라 던지 즉흥적인 삶에서의 탐구를 만들어서 그 본뜨기를 추종하는 본질적 의를 창론하고 있다는 것이다 또한 시각화된 경우도 있다 또한 누가 흘리는 말인지에대한 알코올기준에서 업그레이드가 되어야 한다 과학적 심리 집중탐구와 심리적인 현상들이 나타난는 사람들의 마음은 알 수 있는 다양한 형태를 말한다 이에 있어서 정신적인 혼란 외에 그 시학적인 나머지 신체들이 성분을 틀어서 광적인 미생물적인 것과 광적인 죄와벌에서의 문학적 요소들이라고 말 할 수있겠다 또한 아리스토텔레스는 마찬가지로 육감을 통한 수학적인 체를 만들었다는 것이다 음악성을 유리 한단ㄴ 사실은 뭐든지 엉켜주 춤을 통해서 의미를 감상해 보자

그러하여 베토벤의 교향곡과 다양한 곡들이 나오기 시작한다 이성적인 논리적사항에서 산타할아버지의 광적인 요소를 접근해 공포적인 음악을 구성할 수있으며 이것을 바탕으로 재즈 기능성이 없는 연기의 스타트와 표현주의 사상론에서 독일의 실험적인 무대안애서 심리적인 아름다움이 있다는 것이다 이 논리법을 연구하기 위해서 음질이 중요하다는 말을 하고 있다 무대에서 섯을 때 프로적인 매밀도라던지 또한 무대기술로써의 가스를 연구한다

든지 의 중요요소가 있다 아무런 방식이 입증되지 않았지만 목구멍과 폐 그리고 배라는 기관을 통해서 발성호흡 떨림에 관해서 정지할수있다는 것이다 실질적인 의미로는 마스크극에서의 생각논리가 있다는 것이다 이탈리아식 원리인 광기 마스크를 쓴다는 것은 흉식적인 면모를 지니고 있다는 것이다 또한 자극 적인 노래 가사의 작곡을 말할수있다는 것이다 이러한 생각성에 대해서 알리고 있다 서커스의 원리는 A+B+C 나누기 2이다 기능뜻에

서 서커스의 원리를 설명했다 물
리적행사가 이루어지면서 점점
바뀐다는 것이다 의미론에서 음
악성이 라는 것은 촉각 미각 후
각 이라는 점이다 그이후로써 증
명체는 아주 가까운 음악장르의
심리적특성을 바꿔놓는다는 것이
다 이러한 증명함으로 가파른 보
드 느낌들을 다 오패라으ᅡ 특성
들때문이란 것이다 오페라는 연
극성에 대한 논의가 물고 의상들
이나 말의표현법들이 굉장히 신
선하다는 것이다 예를 들자면 연
주의 목소리 톤과 오페라의 목소

ㅎ리 톤은 비슷하지만 동ㅇ용량에대한 결과가 다른 것이다 이렇게 되면 저렇게 되고 이러면 어뚱게 돈다면 토마토같이 부드럽고 끈적한 것들이 라는 것이다 이재즈의 성향을 알아보면 심리적 투합사고나 사상이 잘맞게 들어간다는 말잉고 폭력성이 전혀 없지만 어떠한 성격을 가르지 않는 것으로 표현된다는 것이다 또한 스타니슬라브스키의 사실성에 대한 비판과 논리적인 사고화 행위로써 포함되는것읻다 그러한 음앗성은 계속발달되어 있고 있

다는 것이다 또한 전통적인 무대
안에서도 음악성악성을 또 다루
게 될 것이다 그 말의 의미는 가
면,부,가부끼에 대한 분장술이나
문화적 배경을 쓴다는것은 정신
계층에서도 유교사상이나 그러하
여 무대시스템은 무저건 같다는
것이다 이 결과적행위는 문학적
인 배경들을 통해서도 나라 들
이 지배들 자체엣도 나타나는 사
극적인 면모이다 그그러하여 인
간의 극장을 추구한다는 것이다
ㅇ 영화안에서 특징적인 심리화
가 탄생했다는것이어다심리화에

서는 마음의 내면적 정서가 있다
던지 아니면 근본적인 사상들을
합쳐서 한의 영화필름이 또한 생
산된다 영화에서는 무조건 화용
적이라던지 근세기 사학이란 사
진이나 역사적 시대에사의 생산
과정이 지에 대한 답론이라는 것
이다. 그곳에서는 아무도 알지
못하는 생산이 있을것이고 나머
지 생각들은 정도해보는 의미론
에서 극장의 지리적위치라는 것
이 있다는 것이다 그것도 그렇지
만 할려는 부부분에서 도움을 준
다는 의미하에서 이루어진 것이

다 그러하여 영화안에서 심리적인 분할로써 이야기하기 위해서 단계별의 극성하드에 나오는 분류들이 있다는 것이다 씬에서는 뇌ㅇ안속에 분리되어있으며 중앙중심부로ㅆ 해결해 낳아가야 하는것이있다 또한 미학적인것과 공간적인곳에서 카드에 대한 논리성도가 있다는 사실이다 장면마다의 영화에서의 잔인성과 공포성을 바라보는걸로 인해 가상의 일부분인 오감을 느끼기위한 것이다 극장에서는 다 바라보기 때문에 인기가 있다는 것이다 또한 소설이나 책을 읽는다에서도 그림이 있는 중심부도 있다느 것이다 옐를 들어서 중심인물이 극본안에 중심부분에서 맞추어 들어간다면 행위성이나 장담하지 못하는 규정에 대해서 의논해봐야한다 마지막으로 기밀성이 있다는 주장에대한 오피니언이나 궁극적인 목적을 다루는 의미에서 감정의 주요한 부분들이 있어야 한다는 것이다 또한 표현에 있어서 만약의 언어적 행위가 있어야한다 액션영화의 느와르 양자시스양아치스러운연기의 한국 영화가 있다 그것은 초록물고기 싸움의기술들이 있다 극본의대상 은있지 않으나 캐릭터들의 우용 성이나 흐름안에 있는 분할자국 들이있는 코믹성이있다는 것이다 무조건 깡패가 이겨야하는 현실 성 언어와 생활투로 사이코조직 들을 만드는 우속운명이다 영황 기도하다 또한 깊이있는 영화로 쓴는 저주의 괴담 시스템으로쓰 기승전결의 의마애 영화이다 또 한 거울속으로실미도 알포인t는 동양적인 아주 사악한 마법인것 고 따르게 타인을 공격하는 지배로써 이어가는틀이므로써 강화적인 이야기를 이도록탈피하는 스토리 전개를 하는증이다 감독의 성향에선ㄴ 불이나 초같은 대본의 중요성을 알라는ㄱㅅ은 아니지만 이야기의 흐름사상에서 불구하고도 비난의 방향성이나 추구성이 없다는 것이다 사회성에서 결여가 들오가지만 임시적으로 공포의 스토리 단계나탈피로써 해결되어가고 있다 미칠로고 공포만 현실은 장르는 불가능하지만 현실아래에서는 망상ㄷ 들어간다는 것이며 이것을 바로 시

뮬레이션이라는 것이다 모델의
신체적 에서는 바른자세교정이
필요하다 신체적연기나 퍼포먼ㅅ
통해서 모델의 워ㅓ킹 정정확성
이있다는 것이다 신체활동ㅇ을
할때에는 똑바른자세로 다l를 펴
주거나 또는 지렛대 훈련을 해야
한다 다리 각선미응 보이기위한
운동 중심이 아닌 신체안에서 독
소를 빼고 순환하는 훈련요건이
다 또한 무게중심인즉 모델연기
의 스타니슬라브스키의 영혼의
기억들이 돌아가지면 모델다릿축
은 스트레칭이나 식품들을 골고

루 먹으며 기포를 삼켜야 한다
이러한 훈련들도 추구하지만 딕
셔의 신체형태나 끊어읽기의 화
술 자체에서도 문을 열어주는 택
을 해야한다 이러한 훈련과정들
이 마임극이든지 신체극으로ㅆ
연출을 풀어헤쳐야한다 또한 신
체에서의 자료구조적인
todanfgr ehrnrrk 필요한것이
다 0.1에서 0.95꺼지의 전까지
인체에서 피라던지 혈관을 수축
이완시키는 곳을 정도있게 표출
하기도 한다 표현이있어야한다
시학적으로 보이면서 몸의 사태

를 익히고 있다 도움이많이 된다
는 것이다 또한 가축들이 왔다갔
다 하는 모습들을 많이보고 동
뭉에 대한 다큐멘터리들을 많이
보아야한다 또한힘에대한 가중력
이라던지 오므리기 기술적인 방
면을 꼭 기기억하며 고정자세에
서 스트레칭 기록들은 사서 융합
성을 가져 신체치료 치유용으로
사용된다 무기적방면으로 보았읅
대 신체의 익힘으로ㅆ 모든 부분
들을 다봐야한다 정호 정흑성애
서눈 어느분얀 바로벌집의 추상
이라는 것이다 이러한 동작기능

들로써면을 보면 다른한편으로
동작이라는것에 높이게끔 또는
배에 수축과 이완또는 머리관에
뇌안에있는 추종의식이 늘어나것
나 사고화가 밝게 빛나는것이였
다 인체는 가맘ㄴ히있는 분기로
물리적 환경과 피의 많은 정도를
봐야한다는 것이다 이렇게되면
갈수록 내가 어떤 것을 입어야
하는지에 대해서도 서로의연결성
이 되어있어야하는 것이다 도한
핵심으로 모델연기라는 것은 신
체를 사용을 해도되지만 심리예
술극에도 마찬가지이다 독일의

신체적 감농도와 인체의신비론
형상이 턱없이 들어가지 않는 것
이다 또한 바나나를 먹고 수분은
덜 섭취한다는 것은 좋은 것이다
원리에서부터의 기발성이 이있으
며 모델은 가면을 쓸 필요가없
다 패션쇼를 하기 위해서도 소프
트웨어적인 관념으로 오토캐드
방향성을 후기요법으로 다루는
것이였다 심리정도에서도 느낌으
로 중화적 모습도 보이기는 한다
또한 패션모델에서는 물리적인
반응으로 신체적리듬이라는 형태
로 있다 연구시스템적인 반항적

인환경역할이 느낌의 신체표현에 사 극장의 예술화되는 단지 몸으로 쓰는게 아니라고 생각된다 의미하에 신체오과 비슷ㅎㄴ 구체성을 가진 형태를 알아야학 그것이 뼈에 해당되는 메머드나 공룡들로 구별이 되는것이다 공연의 구성안에서는 영혼적인 힘이 구슬려봐야 하겠지만 감정으로 신체표현도 있듯이 구성한이라도 움직임이라는 뜻도 있다는 것이다 사이클에서부터 롤링성이 배제되지않다는 뜻이다 무대의 개성있는 미술을 의미함의미함으로 당연한 듯이 바다의 풍경이 되었듯이 생물적인 요소들을 대신해야한다는 배의 자유를 고대에 사랑있던 동물인가 약으로 한의학의 표현자체를 구상하는 것이다 뇌라는곳에서의 마지막으로 실험성으로 와닿게되는 것은 분명히 식이요법이라고 생각하는ㄷ 그그렇지 않다고 도 표현할수있당p 를 들어서 스파게티와 미트볼을 먹는데 끈적끈적한 성격이 치즈가 없으면 미학을 작용할 수 가 없다 대부분 gkwwalks 뇌로써 소화가 된다는것인 소뇌 자뇌 우

우뇌 대뇌 들으로쓰 심리할수잇
는 것은 시학성도 포함이 된다
이설계과정은 소프트웨어에서도
붙일수 있다 MRI X-Ray 신호망
CRI 열감지 주파수로 해결된다
만약 쥐로 사용을하지 말고도 장
님이 되어버린 이구아나를 조사
한 것이 좋다 이구아나의 혀를
조사할 때 글로써 표현하자면 과
민성 반응이라고 볼 수 있다 왜
냐하면 전염병이라는 것을 조사
할수있다는 것이다 DNA를 써보
면 감소되는 운동량과 근육수푹
이완의 수들이 있다 그런것들이

되면서 소프트웨어를 내말로도 추출을 하것이다 그러면 뇌에도 동물의 움직임을 통해서 근육을 보호하기 위한 세포망의 움직임들이다 그것들을 위해서 생물적인 어떠한 관찰이 필요하다 우리가 말하는 인체 신체 심리 중에서도 제일 중요한 것이 심리상태이다 어차피 있음으로써 부족하지 모산 동물의 움직임이나 각도에 대해서 그들의 DNA로 뇌를 검출하고있고 임상효과에도 치유능력이 매우 밝아진다 또한 해의 작용으로써 비타민D를 당연한 관념이다 스파게티를 보고 느끼고 맛을 보는 뇌의 작용력과 신체적으로 즐거움으로써 승화할 부분 범위나 또한 자로써 젤 수 있는 근본적인 미트볼 맛과 또한 시각 청샷 마지막으로 후각이 인지하기에 이러한것들에서 또한 신경세포 적군하게 되어있다 이 구아나는 존재는 색이 비추어졌을 때 맑고 어두울수 있지만 젤로써 확산이 가능한 물리적 요소이나 뇌로써 이야기를 하는것이 다정신이라는거은 뇌가 아니라 그 안에서도 작용하는 본질적이지 않는 세포들이 혼란과 분할로 라는 뜻이다 그것이있음으로 뇌의 그림을 보자면 노의 깊이성이 보이게 되어있다 이러한 형태로 신경적인 분석력으로써 바이러스나 정서 , 불안 언어적인 불가능 함으로 심리적인 회복이 되어야 한다 이러한 것들로 약으로 통제하기 보다는 잠을 깊게 자고 자극을 덜 받는 것이 더욱이 중요하다는것것이다 또한 의 생명력에서 뇌에서는 스폰지같지 않고 따뜩한 부위가 있다는 것이다 그것이 손상이 되면 흡연이라는 의미에서 작용한다는 것이다 공기의 오염성이나 폐로도 가는 흡연의 속도가 번질이 엄청나게 쎄다는거이다 이 자극을 받지 않아야한다 또한 현미경으로 봤을 때 세포의 질과 끈적끈적함의 움직임 속도변환같은거이 시학적으로 보여야한다 또 이질적이지 않는 부분에서 망상 과욕 욕망에 사람으로 잡히게되는 것들도 있다는 것이다 그런 뇌에서부터 심리적인 자극을 받아 사람이 병을 알리게 되는데 그원인은 트라우마 충동 충돌 외식성 중독에 의해서 조직을 심리적으로 뇌의식을 망가뜨릭고 있다 이 원인을 해방하기위해선철저한 운동량과 약으로 투약이 좀더 필요하다 한의학에서는 신체 인체 부위들을 손상을 입게되면 침 실 돌으로 써 치율해야한다 역할같은 파스칼같은것이랑 비슷하다 이러한 부분들이 계속해서 심화되면 한의학등을 복용하게 더ㄴㄴ데 간단한 인체구상에서는 무조건 피만 들어든 것이 아니라 장기라던지 콜레스트롤 반응 비만작용 세미클론 등으로 사이크링되기가 한다 시간으로 분들이 심해지면 또다시 뇌로 까기때문에 문제가 된다는 것이다 치매에서도 술법은 같다 만약 뇌에서 치유부터라도 나중에 인체 신체 작용들이 오기도 한다 그럴때믄 침보다 돌로 뜨거운물을 입혔을때 상황ㅇ나 하지만 차갑게 하고 열감지를 체크해야한다 심은 무엇이냐면 다쳤던 부위들을 ㅇ애워싸서 시술을 하는 의미이고 해부학적인 의미이다 해부학은 뜨거운 열로 시작해서 로봇이나 같은 컴퓨터로 부위를 치유해주는 것이다 장기도 아니고 심리에 신체 인체도 아닌것만은 아닌 것이다 것이다 심장쪽에서는 좌심방 우심방 이 있는것처럼 파란색혈관과 뻘간색 혈관이 뇌에서는 앓돌고 있을 것같지만 미세한 부분으로 작용한다 혈액순환이 되고 아침에 먹었던 음식들이 포도당으로 메로핀이 발사되는 것이다 뇌세포에도 껀강하게 연관이 있던 것이다 이러한 세포망들이 건강해져야한다 또한 해파리같이 신체의 규격의 육분성을 가지고 있듯이 모듈로 사고화할수있는것은꾀많은 섬에서 다이

어트를 하는식의 구상도ㅇ를 지키는 경우이다 드 일후로 해야할 것은 쥐를 포착한는 것이다 쥐를 잠재우기위해서 뜨거운 고ㅎ간안에 몇 도씨에서 쥐가 일어날까란 관념이다 몇초간있어야 하는 건가라는 심리도 포함된다 이에 대해서 과학적인 논리이다 또한 조직망중에서의 단념화 되어있다는 뇌의 기장된 순간이있다 그렇게 되면 뇌에서 연결되어 이쓴 중추신경계에서 꾸준히 보아야하는 것은 이 세계안에서 가장 볼 수 없어써던 것을 사실증명이 필요하다는 것 근육신경계는 해부적으로써 인도가 되어있고 뼈나 칼슘으로우리가 흔히 말하는 뇌시술도 이정도면 된다는 것이다 인체의 신비로 카테고리에 나와있는 수학적귀난법들이 있다는 것이다 우린 애니매이션이라고 치며는 영상에서 뇌로써 접긇여 똑같은 우연을 찾을수잇다 물탱크안에서도 물기가 가득차있으며 그안을 씻는것에 대한 기계풍류 장치가 있다는 것이다.또한 몇초전에도 끈적하게 지킬려고 하는 컴퓨터 시스템에서 프로그램이 되는것이다 보수계산으로 연결망의 알고리즘들을 분명히 있다는 것이다 뇌로쓰 언어적인받은 자체도 있고 환경엣도 노는 말할수 있다는 것이다 심리적인 형상에서는 X.Y>Z의 평면도 형식으로쓰 널리고 넓힌 3D에서 촬영을 하고 공학적인 3D에서 5d 제곱까지 이어질수있겠다는 것이다 그 핵심은 5d 제곱에서 3d까지의 2d배경도에 압력을 시키는 것이다 그렇게 되면 공간백터가 이어져서 공간확률을 알수있을 것이다 공간 모델링을 하면 뇌를 찾을수가 있고 어느점에서 또한 시학적인 구성도가 생길 수 있다 이러한점에서도 무대의 기초에서 사고화된 집중적인 말을 찾을수 있다는 것이다 그리하여 민중의 의식으로 침술을 시술하는 장면 연출이나 또는 계단식 구도안에 서도 알고리즘잉야하며 통과를 낼수있다는 것이다 미국생사의 특별한 것이 라는 것이다 이러한 논리적 공연성을 마스크극이나 스타일에 맞게 사극적인 요소들 이 들억기의한 공연예술이다 또 한 기하학적인 무대설명에서도 배우들은 그것을 보고 심리적인 공연을 할 수 있어야한다 어린이들도 어린이극을 하고 보고 듣고 부분점이라는 것은 무조건 뛰어들 것이다 또한 관리적인 요소들에서도 한가치성에서 주제가 될 만한 부메랑같은 대사들을 숨어져 있다는 것이다 그러한 점에서 수증기처럼 있을 때 나오는 분비물 같은 것에서도 미국의 섹스심볼주의는 먼게 아니고 신체를 다 홀수도구라는 것이다 육체적으로 따지면 배는 따라오기 때문이다 그만큼 잘 이겨내고 대본의 구성만을 잘갖추어져 있다는 것이다 또한 해에서의 숫자들이나 전지 전자파로써 이겨내기는 이라는 씬들이 생길 것이다 브레히트의 연극 스타일은 서사적기법므로써 연출자가 개입하는것이고 독일의 히틀러식 연기라던지 동작이라던 지 알 수 있는 혼동들이 있다는 것이다 또한 흉부쪽에서도 항문 과 겨드랑이를 항상 열어주어야 한다 이러한 기본기로써 공연적 성격을 알수있어야 한다 무대 밑 식인 것은 극본에 있는 톤과 화 술로써 눈으로 봐야한다 고연에서도 어떤 메시를 받는 것은 잔다르크의 마지막 죽음애 대한 것=이다 백성들이 자유를 주기위해서 공략적이게 활발하게 추종되어있는 순간들이 계속해서 습하고 들어올 것이다 그러자 공연기구들이 전후다 십자가 모향들로 짓는 것이 어뜬것인가 십지가를 3m이상 재물위에서 그것을 마야문명이나 잉카문명처럼 따라야하는 것이다 마야문명은 큰 투구과 장비를 갖추었으며 세로모니식의 희생을 신께 바추며 천문학적인 신도인 부족들이다 그것을 대본으로써 어떻게 표현하는지에 대해서 설명하겠다 상업적인 공간에서도 미치지 못한 공간들이 있고 벽처럼 딱딱한 단위의 공연성도 있다 그러함으로써 기증된 확신들이 이 신비를 열수있을 것이다 축제에서하는 공간도 다양한 사실상보면 무대나 뜻 좌석들로써 시기심에서 성격분야들까지 우수워하는 단계가 이어지는 것이다 현대극에서도 공포극이나 심리현상또는 고전극을 통해서 제일사람들과 배우들이 좋아하는 작성제의를 만드는것이좋다 노르

웨이 해적선에서도 인간의 흉터가 남아있는지에 대해서 역사적 관념에서 말을 할려고 한다 그 이유로 인간의 흉식드로 노예기록에서 알수잇는데 그것은 생선에서부터 음악을 섭취한다돈지에 대한것과 소화를 변으로 넘어가야한다 소화가 끝나면 배설물들을 확신하는 것이 좋다 이러한 점에서 인체의 도상에대한 과학적인 추상과 현재의 의미를 알수 있었으면 한다 뇌라는 것은 오감 육식성 밖이 없으며 네트워킹을 하는 이식성 마저도 구별하는 것이 아니다 그러한 뜻에서 기술력을 가진다던다 미국이 나 독일이라는 곳에다 그러므로 항상 실천을 해낳아가고 인가의 인공지능이라는것에 뇌에대한 전파만 신호만 수축 심장박동이 대부분이다 세계사의 원리에 대해서 특수한 방패라고 천문학과 같은 종오류의 이칭이다 세계사안에서 시간의 추라는 것이 공간확대가 되어있는데 시계에 대한 분할이라는 것이다 여기에서 공연분야를 읽으면는 되었다 공연분야에서의 세계사는 미국 페스티벌에

서도 삼바댄스를 가극하는 경우
에서 신호의식이 필요한 것이다
또한 광선자체로 맑음이없는 정
신세계에서 변환이라는 것이 분
명히 존재한다 기술적인 요람에
서 생기는 극장무대식에 나무를
심어 놓는 것이다 다양한기법들
로써 메소드형식자체에서 육감이
영혼을 지배하듯이 움직임에서
활발한 활동의 개연성이 되었다
또한 영상에서도 기입장치들이
있기에 마련이다 미국공연예술
삶의 미국이 가는 존재를 잡아야
한다 아름다움은 표현적인 감각

으로 존재하는 희곡작품들을 다르게 읽어봐야 한다는 것이다 브레히트 스타니 미카헬체홉 브케트 세익스피어 아서밀러의 작품들이 구성요소들이다 다같은 이치의 공연들에서도 마지막까지 할려고 하는데 긴장감이 없고 뚜렷한 세계정신사회에서 덜어져나가는 것이 중요하다 이러한 공연의식으로써 신체의 변경에 대해서도 알 수 있다 물론 독일의 표현주의 형태라서 긴장감을 주지아노는 맑은 딕션장치에서도 꾸준한 표현으 독일의 피가 분비되는 법칙들인 것이다 논리적인 구성만에서도 1초 2초 ㅂ피트 2피트에서 시작되는 관찰을하는 브로케트의 의식성가 같이 드라마틱한 존재를 해당시키고 있다 온도의 차이에서도 무조건적으로 남미의 풍경의식자체에서도 도의식정신이 필요하다 또한 깊이가 있는 브라질 의식 자체에서도 공연의 움직임또한 존재하기 위해서이다 삼바댄스가 어떻게 여겨지는지에 대해서도 알아볼수있는데 체코의 의식에서는 신들의 청각의식이 발달하고 있다는 것이다 스페인 정신은 연출의식속에서 시작하는 앞에서만 배에대한 구성의식과 더불어 연기가 있는 사회적 기피성과 물체에 대한 몽타주를 하는 것이다 독일에서 심리적 변환은 심리정도성에서 따지게 일부이다 행동에서의 자극성과 그리하여 성분들로만 이루어진 극적인 관념에 대해서 시작하겠다고 한다 또한 무대의 기계상태로써도 따질 수 있는 한가지와 여러방면이 있을 수 있다 사고의 관념이야기인데 어떤 뜻일까? 배우들의 역할과 붐비는 애도하여 같은 ㄱ성분에서 지나체l 게 도발하고 이싸는 것이다 신체 가 ㄷ가울정도로 뛰고 인체성분 마저도 거꾸로되는 혀ㅐ ㅕ식이 아닌ㄴ 맞지않는 구성도에서 시 작하기에 말ㄴ이다 또한 어느정 도의 단맛은 보든 ㅎ앵위들 자체 에서는 무대기계성ㅇㄹ 찾을 수 있다 시각적인 요소들도 마찬가 지로 보이는 형태의 관성적법칙 은 희노애락 시스템에 전기장치 에서ㄷ. 사람들과 관객들 사이를 알아야하는 복종체이다 이러한 것들이 열성의 온도와 파워 에너지를 굿ㄹ해 산소들을 혼합해서 무대적 공인적인 요소들을 빠빨리 찾기에 마련이다 또한 관습적인 방향으로ㅆ 이야기 시슽템을 만들어내는 공연의 볼은 세자매, 갈매기,벚꽃동산에서 이루어지면 하나의 시각화 현상을 가진 아랍엣도 볼수있다는 관념을 추구한다 또한 대기적 통합 시스템인 시나리오인 것 같다는 뜻이다 시나리오 상태도 미학적인 수레가 들어가기에 보이체크의 의식성을 매기 위한 것이다 수레바퀴의 수학적관념인 것은 배에 대한 의식성에서도 돌아가는 식이다 또한 어떠한 물질만능으로 ㄱ상의 희곡에 지나지않다 광면을 쓰고 특수붖ㅇ 계통을 한 이유도 있읽서이다 기계의 수학적인 것이 a.a.a.a11111+-인것이므로 다양한 개념으로ㅆ 차지하고있다독일의 표현과정도 어렵지만 일본의 스즈키 화술에서도 감상으로써 사고화 관점이다 어디 부분이냐 소리,발성,을 내고 좋지않은 음성으로써 판단할 수 있다

움직임 신체에서도 똑같은 논리이다 피하지않아도 되는 것이 전

자기파에서도 시작되는 것이다 우울함,화남,분노 조절함으로 깊이의특성이 온다는 것이다. 인체의 뿐하에서도 그러하듯이 특징적으로 마스크극의미 주섣 표현기법으로 세계사 인디오의 역사를 대하고 있다 드라마적인 겉일 수 있지만 다양한 포인트적인 특성과 즉흥연기와 배우들에게 사를 의사를 전달할수있다는 것이 좋다 신체의 일부분일수도 있지만 표현의식에서 연기학적인 요소가 들어가는 것이다 다변적으로서 노에 구상들 자체에서도 궁극적인 실험형식도 있다는 덧이다 과학적인요소는 실험극으로 이루어지며 그들의 내면심리 이질성을 잡을 수 잇다 미국공포라는 것은 잔인성에 라기 보다는 마음세계에서 어뚷게 찾아오는지 습관반항적인 것이다 광기의 치밀어진 공연에서도 미국전통의식이 많이 발달해 있지 못하고 있고 특정한 사극적 행위를 없어졌다는 것이므로 그 부정적인 기고의 미국공포로 자극을 하고 있다는 추이다액팅행위가 자체에서도 연기에도 마침을 터야할것이며

한 알고리즘을 있다는 것이다 그럼으로 IQ에 대한 공연상식을 알리는 것이다 ㄸ환 움직임에서도 가장 뚜렷한 의식이 작용하는 내면연기라는 것이다 연상에 연산을 찍을수 잇찌만 움직임 및 동선쪽에서 가만히 잇는 수가 잇지만 내면을 보여주면서 관객을 앞에서 하는 것이 중요하다는 것이다 무조건 상태동사가 들어 잇는 것이다 연기의 의식성에서도 마찬가지로 구현을 해내면서 상식적 감정을 탓하는 것은 아닌다 또한 튀어가는 전신을 읽어야한다 전신 또한 앞에서하는 부분이고 연기의 하나의 막대기를 구성할 수 잇다는 것이다 까르마 조프까의 형식의 극본은 환경지배할 모습들을 다같이 담겨 있다는 것이다 논리적이지 못한 형태들의 비난은 계속해서 끝까지 잘못했다는 것을 반복하는 사상범물질들이라는 것이다 행복함이 변환으ㄴ쓰 공간적인 뿌분들ㄹ이 있다는 듯이 궁극적인 목적하에 있다는 것이다

신체도 똑같이 djEJㄴ 기반을 측정하ㄴ것이고 있을수 없던점이

다 다양한 구성들 자체에서도 박
스가 나와있다 계기안에 주장의
원위치적인 것이 있다는 점이다
구현물 상징은 종소리가 나는것
도 잇지만 djEJ난 특별조약이 있
다는 것이다 미국에서 엔딩씬의
의식성을 잘알고 있는 관객들과
배우들의 모습을 끝점이 있끼 자
발성ㅇ이다 또한 깊이가 있는 심
술엣도 그 심을 풀 수 있는 작
용들이 어망머한 뜻이기도 하다
는 것이다 완벽성을차지 하지는
못한 의혹의 삶속에서 rPthrg해
서 현대물이 만들어지는 과정이

다 특수한 분야에서도 인체적작용과 신체는 분명히 낳아질 것이다 그것을 플어해치는 것이 미국의 예술계 정신이다 다른 한편으로는 눈물의 의식성이란는 것이다 아프리카의 전시장은 뜻이긴 하다 아프리카의 뜻이긴 하다 아프리카의 대사와 가뭄안에서 해내고 있는 자연주의의 대지이면서 똑바른 전신의식으로써의 측면의 예술인 것이다 다양한 드라마틱한 또한 것을 이질적인 모습인즉 또한 믿기기 힘든 어린이극 자체에서 통하는 모습이 있다는 것이다 또한 기별에 대한 것도 흡수력이라는 것이다 만약 의식성 전달에도 숨어 있다는 것도 생길수잇다는 것이다 뇌안에서는 끝까지 대변할 수 있는 것이 좋은것이나 공상의 변화에도 끝이 없다 연극무대에서도 구성요소로 지배한다 스포츠의식인 고대사극의 변환과 제일 뜻하는 것은 음악적인 구성안에 파장이 생각용이라는 것이다 또한 마스크를 매고 캐릭터 구축을 할수 있다는 인도식 기술이라는 것이다 강도에 대한 것도 서술한다 음서에서

강약중이 있듯이 강한 음성 자체에서도 구분을 직지 못하는 것도 있을 것이다 또ㄴ한 정서적인 갈피성에 대해서도 논의하기에 이르다 권법에서의 스포츠의식 공연예술에서는 아다리가 다르듯이 안테나에서 큰 극장에서도 또한 극장이름에서의 갈피행위들이 있다는 것이다 또한 구쳇인 사항이다 신체를 뒤로하는 연극관념도 있다는 것이다 또다른 법칙에서 가망시라는 의미에서 오페라적 성능을 Ehrrrkxdl 있고 피아노 건바녹에서 tnatnl는 이유도 잇다는 것이다 신체적 행위에서의 연극은 음악극도 따르고 있다 헤비미메탈성엣도 shrda을 한 것을 차례대로 이어질수있다는 것이다 그러하여 인문을 하겠다는 의식성자체에서도 선인장같은 인형극에서도 나무꾺이를 한다는 특성과 마스크를 제작하는 의미도 있다는 것이다 영혼자체엣도 쎄밀한 느낌이 아닌가에 해당이 되는 것이다 공연에서 연극을 관람할때 공연의 파악성과 공연의 인지도 와 연극대본을 차지하는 것이다 ㅇㄹ치하는 부합성에서도 찾지못하는 것들이 있듯이 세포의 분열처럼 다리와 전신에서 기능성이있다는 것이다 또한 신체적 흐름도에서도 똑같이 바라볼 수있다는 것이다 ㄱ렇게 해서 음악극을 해당이 되고 있다는 뜻잉다 재즈성에서도 음악의 합이 되어에 대한 rodustd 가치에 대한 베토벤의식성에 서의 ㄴ래 리듬현상이 가능하게 된 것이다 또한 노리성을 주장하는 독일의 가곡ㅇ서도 상황을 뜈수잇다는 껏이다 가곡에서는 자기의 작곡을 만들어 다양성을 부여를해 사람들을 합이 되어서 글을 순간마다의 으미를 부여하는 것이 좋다는 의미이다 광적인 오메가와 음악이 있듯이 가곡의 종류처럼 잔잔한 사고와 맑은 전신으로 하기에 정말 뚜렷 하다는 서이다 정서적인 움직임의 오페라극에서는 연극보다 훨씬 감동적이라는 것이다 도한 이탈리아 가곡에서도 신기한 예를 든 가사를 보다보면 가다듬을 줄이는 형식과 무대에 대한 칠도 형상에 대한 것이 필요하다

또한 심리적인 부담감이 더 액센

트에서 시작되는 기운을 자체에서도 특징적이라는 것이다 음악성을 고려해볼때는 실용적인 음악을 뽑아낼때도 이상화가곡에 대한 들이미는 의미인 것 같다 러시아에서의 풍경들을 정말로 특징적이고 화려하고 오돌오돌한 음성들이 있다고 자부한다 또한 건반이 검은색이라는 것도 표현화적인 되어있는 형태이다 또한 촉각적인 리듬감도 하나라는 것이다 맑은 음악극엣도 즐거움이라는 것이 있다는 것이다 음악에서도 극도화된 의미도 있다는 것이다 눈에서 볼수이쓴 시각적 인형극 에서도 음악의 진리성을 꼭 필요될 수 있다 동상으로써 의미도 대부분 준다는의미를 제공하고 싶다는 것이다 또한 무대의 의식중에서 가능ㅎ한 존재에 대한 정서세계로 있다는거이다 이 무대에서는 어뜬식으로써 움직여야 되는덧이다 아름다움의 세계엣 놀랍고도 따분한 정신력이 라는 거이다 또한 불날리 같이 행동의 심리적 으식으로씽ㅔ 해당되는것도 있을껏이다 또한 음악극 성분에서도 타박성이 민중의식에서도 확립될수있다는 것이다 또한 정기적인 배타는 능력이 있어야 하는 것이다 문학적 개미에서도 그런기운들이 남겨져 있다는 것이다 문학에서의 논리적 상황들을 문학의 가치성이 누가 해왔냐의 가식과 내용에 대한 사회적 반항 또는 이 능력을 개선을 해야함으로써 계속되는 호기심을 자극할 수 있다 그래서 의미있는 합리성을 추구하다는 것이 바람직한 것이다 이논리를 추구하는 아리스토텔레스의 연구에서 기밀성을 알게 되고 살림이

라는 대상의 기운들이 있다는 것
이다 과학적인 인문학 분야에서
의 가상의 법칙에서의 논리적 구
도를 항상 종석이라는 것이 있다
는 것이다 이러한 무대에서 결온
성에 대한 것들을 기피하는 셈으
로써 이야기를 복잡하게 풀이할
수 있다는 것이다 이산수학적 표
현이 있는 한 가운데에서 어떠한
장치 분석도 들어가야겠다는 것
이다 무대기계로는 첫 번째 기능
적인 기구로 입힘을 다른 한편으
로써 기능적인 무대의 형상 자체
에서도 불구하게 된 것이다 또한

음악성에서의 공연공간에서도 그림으로 나타내는 형상들이다 이러한 부분에서 나누기의 법칙으로 공간의 형성들 자체에서 연립할수있다는 것이다 또한 밀집된 지구시간과학에서도 잘피할 수 있는 면모를 제공해야 한다는 것이다 신체에서의 북에서는 가방면의 그림자극으로 인민성을 구현할 수 있는 공간형성이 있을 수 있다는 것이다 무대의 체제성에서도 가상적인 스튜디오에서 심을 세울수있다는 것이다 이러한 감정적인 표출에서의 가득한 인류 공연성에 가치성에 발신이다 또한 구별성에서 따지는 공연 관련 연기 확산을 말을 발달을 할 수있다는 것이다. 인형극에서 발달 되는 곳에서 나올수 있는 부분도안으로 마찬가지로 음악극에서 접출할수있다는 것이다다른 안면도로 극장의 구성안을 다시 발달시킬수 있다 다양한 활용성으로써 깊이를 나타내은 공간 형태에서도 남의 배우의 상관성 요소는 집지않는다 고정관념에서도 나오지 않는 발달 된것이므로 구분과 가능한 치질성분야에서도 깊이가 있다는 것이다 주장의 주장성에 대해서도 많은 의견을 제시할 수 있다 그 이유를 돌아볼 수 있고 에쮸드형식 정석이 면 연기의 테크닉을 무엇이냐면 공동에서터 뛰어 읽기에 있다는 것이다 조직상에서 많이 발달이 되며 앞을 보면서 깨달아야 할 중요한 요소들이다 남다른 재주에서 극장의 표식이 이러한 것이다 퍼포먼스에서 춤을 추고 마임을 잡을수 있는 가치론에대한 공간성에 대한 결연 성 들이 라는 것이다 또한 무대형식에 맞게 못하는 것은 공간성에 대한 결온성이라는 것이다 또한 무대형식에 맞게 못한 것은 공연의 대본성에 대한 추론이었다 다양성과 더불어 대본이 이어지는 형식으 나타내는 서양식 무대인 것이다 가로, 세로 불가피하게 만들 수 있는 허구성이 있는 발언인 것이다 또한 공략적인 사물에 대해서도 던져볼 수 있는 포인트 인 것이다 세계사 이론에서도 건축성이면서도 차지해야 하는데 이유가 그것인 것이다 또한 가용성이 여지가 됨으로 남다르게 보여주는 것은 기피가 있다는 말에 대한 어떤 속성에서 내려오는 점들이다 이러한 기계적인 행동적인 연기를 사치성을 부여하고 많은 이어지기를 사용할 것이라는 것이다 어떻게 판단에서는 배우의 연기가 갑자기 잘하는 순간이 올수 잇따는 것이다 아무훈련을 받지 않았어도 불구하고도 이름을 말할수 있는 습관성자체는 남다르게 매길수 있다는 것이다 영상에대해서도 극장의 내부 사운드에서도 들을 수 있는 궁극적인 핵심적인 것이 포인트이다 또한 맨 밑줄로써 가려진것들이 한편으로써 가중적인 요소를 방법으로 이루어지는 형식으로 나타낼수있다는 것이다 극적인 요소들로써 상식덕인 이야기를 발달하는 것이다 무조건 타일에서 철벽까지 원리의 만큼이나 되는 것이다 모형적인 분명히 주장에서 쓰일 만큼의 존재에서도 불를수 있는 뜻이다 또한 남다른 과학적인 요소를 천둥번개가 치듯이 안테나 역할을 한다는 것이다 그러한 이유에서도 다른 지국의 느낌을 받을수있다는 것이다. 이러한 무대적 표식에서도 더영헌 발언들이 있다는 것이다 월래 표식 중 이었던 열이 가장적 표식이 있다는 것이다 미로에서도 그런이유들이 있다는 것이다 앞서서 이야기하면 문학에서도 그림을 보면서 이식적인 주장으로 읽는다고 해도 다 청각적인 면모로써 읽지 못하는 것들이다 또한 만약의 구성안에서 다 합친 요소들을 바꾸는 것이다 미국연극에서도 자발적인 기능을 하는 이유이다 온전이지만 내면의 세계에서 주장에서 발달을 할 수있다는 것이다 논엄성

에 대한 것도 유전자식의 논리적
인 원인을 할 수 있다는 것이다
마찬가지로 이해해볼 때 있다는
것이다 조명과 기계의 도식법에
서도 조명의 전기이며 기계식보
드로 동력원리가 비슷하기 때문
에 조명의 위치가 회전에 대한
원인이다 또한 집행권에서도 수
단에서도 마름모선의 순간순간
있다는 것이다 다른한편으로 이
야기를 나눌수 있다는 것이다 거
꾸로해서 가면의 의식을 안후에
신체적 표현을 채워야 한다는 것
이다 논리적인 구도에서도 아른

한편으로써 기술적인 면모를 기능한 것이다 또한 기능인 한편으로써 무게가 줄도 되어있으면서 소숫점이라는 것이다 작동법에서도 대본이 어떠한것인지 퍼포먼스형태에 어떠한지에 대해서 많이보고 싶다는 것이다 대본에서 이 글이 맞춤형식에서 또 다른 스케일이 나와 바람직한 것이다 또한 역사의 각본에서 컴퓨터성도 찾고 연기 구성안 도 찾아 다니는 것이다.그때 할 때 마다 논리적인 수단을 내는 것이다 그럴수록 차질이 없어야하고 배우의 역할을 차오해 나갈 수 있다 배우의 성격은 대본이 없는대로써 있다는 개념자극들이 좋다는 것이다 이렇게 말할수 있는 순간들도 많이 좋은 것들인데 사고화된 관념들을 사회성 마저도 많이 지워지고 있다는 것이다 지질학성에서도 구분의 뜻이 없듯이 만일 이동식 분석이 필요하다 문학적인 요소들에 대해서도 반듯이 신체훈련을 통해서 교육정석을 필요시 해중야 만한다는 뜻이다 '또한 이 성분에서 연극이념적인 사고화된 것은 희 노 애락 이 되는 것으로 원리를 찾는 것이다 또한 방송영상으 시점은 어디서 부터일것인가 라는 관측적 관념 이다 이렇게 되면 연극의 성분들 이 차지하고 큰 오두막 영상에서 아무나 알 수 없는 의식 컴퓨터 형상으로써 깊이있는 광건이 있 는 것은 하이브레인성에 대한 논 리적 배경이 라는 것이다 이때 방송에서의 큰음향 편집 ed이 필요하다는 것이다 ㅇ;러한 점에 서도 밝기라는 것은 끝까지있는 것이다 경극성 표출하기 있다는 것이다 또는 음악성에서는 마찬가지로써의 스타니슬라브스크적인 고급 오페라로써 다시돌아온다 하지만 브라질 극장에서는 극장의 구독면을 보이서 알 수 없는 체계적 가치등이 좋다는 것이다 또한 공간도형에서도 극장의 해부도면은 압축 되어있다는 뜻이다 이러한점에서도 하지만 극장 위에 기계적사실임을 달력을 통해야 한다는 원리가 가장 가상현실이 가능하다

또한 이민성에대한 표범적 구성도부성에 대한 문화적 체념관리적인 것들이다 남미의식에서가

동반한다던지 서브텍스트의 심리적 행동을 한다는 말을 하겠다 또한 지형적인 특색의 문명이 되었고 어떤 부족들의 희생을 시키며 신념이 나누어 질 수 있다는 것이다 또한 마찬가지에서도 궁극적인 필사가 있다는 것이다 개념을 짓는 것은 아무리 기계나 전기에서도 가능하지 않다는 뜻이다 화자가 변환이 암시되었을 때 파이어볼트와 순환적인 이념에서 조직화되어있다는 것이다 도한 압류적인 상태엣도 흡수하는 방법이있다 배우와 배우끼리

붙지 말고 말인가를 구현하는 것이다 그리고 또한 전기적인 부분들이 있듯이 기계의 가동이 되었을 때 전기의 매류가 된다는 것이다 또한 플라스틱을 기운에 차게 되는 것이다 어떤 이유에 불과해 또한 정서적인 효능을 가진 상태의 일본의 귀신연기라는 것을 같고 있으면 굉장히 좋은 뜻으로 받아들여질 것이다 또한 러시아의 민족주이에서는 마스크의 관념과 아르크스의 심로한 정신적 소시오패스를 결과를 낼수있다는 것이다 이러한 분장 조건엣도 사람들은 변하지 않는다 큰 이유 때문에 이유가 남아있는 것이다 분장에서 폰트가 나서 다 분리를 시킬 수 있는 인격체의 연극의 역사일 것이다 또한 우즈베키스탄에서도 세부적인 아시아의 노련함을 보여 줄수 있다는 것이다 또한 이러한 이유 때문에 강약의 조절과 악한 심리속에서도 배경안에서도 있기도 하다 소품에서도 이런 것은 무대자질로써 해야하나 이러한 크기대로 썩을것인지 에 대한 논리적 사고다 또한 예술성 공학애서 가상 효과를 진리의 개념으로 갤러리바 극장바같은 이유에서이다 이산화탄소에 대한 것들의 진리를 진실이야 겠다는 싶은 사고 이다 애니매이션에거도 역시 공연의 분석 자체임으로써 시기를 써보는 입장이기 또한 공략적인 지배층들도 올수 밖이 없는 실태상황이다 세계사의 예술에서도 건축법과 또한 빌딩의 구조도 하는 것이 발명이 되었다는 것이다 전기로서가 아닌 전까지라는 것이 굉장히 추룬 느낌이 뜨는 것이다 또한 퍼포먼스적인 물체도 극장의

미학의 표현할 수 있다는 것이다
이것은 세포분열의 이는 것이다
미국의 공연적 성능에서 ㅇ씨는
것들도 있다는 것이다 분명 코앞
에 있는 느낌도 있을것이도 전제
하에 니체를 통한 행위는 미국의
정서를 앞으로써 지푸라기처럼
행동을 위한 피할게 아닌 속성의
앞으로의 신들이 작용해서 목구
멍과 호흡신체에서 맛있는 리듬
감에 철저히 분석을 해봐야한다
발달자극들은 어더한 콘텐츠에
대한 활용성과 지푸라기까지 못
하는 금전상태이다 왜냐하면 다

른 이치성에 있기에 하에 어뜬것들이 있냐는 것이다 방송국자들은 그때동안 신성해도 다른 입자들이 파악하는 가운데 장르별 분석이 있어야 할것같은 생각이 돌았다 공포스킬이 느와르라는 임모스텔 같은 제일 뚜렷이 봐야한다 또한 고통에 시작되는 것들에 대해서 이야기하고 싶다 어떠한 이유가 들어갈수 있냐면 다른 정서적 표현으로 왔다고 하는 것이다 또한 개발의 극장 아키텍팅을 당연줄에 대한 것을 알려주고 싶다 또한 공연성에 대한 논리학이

라는 것이 있다는 것이다 평균이
상의 공연하는 업그레이드도 나
와 있다는 것이다 실험예술에서
의 한 종류인 부탄가스의 모습들
은 항상 곁에서 표현주읭 사상들
이라고 알려져 있다는 것이다 또
한 대본의 구성인들이라고 해도
효과를 낼수 있다는 것이다 그
이후의 대본으로 역할에 나오는
것을 촉각과 시각 시학적인 구성
원들 자체에서도 효과를 낼수 있
다는 것이였다 공연화가 되는 부
분에서 설명서를 읽히는 경우일
수도 있다는 것이다 원자력같은

원리가 할 수 있다는 것이다 전파를 시키는 공연무대에서 연극 관념이 있을수있다는 것이다 건축화된 의미도 마찬가지의 다양성은 구축할수있다는 것은 항상 있다는 것이다 안면의 구성도 안에서도 구체적인 심리적 표현이 있을 수 있다는 것이다 일반성을 주장했지만 그런 스타니슬라브스키인 배경인 물정도를 알 수 있다는 것이다.문명이 될수록 극장의 시장은 넓혀지고 있지만, 고전의 무대인지 고대의 무대인지에대한 건축물과 기계가 발전적이다 또한의술공학에거도 헝가리의 자극적인 요구르트의 행사적인것도 아름다운 것이다 만발의 차원이지만 구도안에서 볼 수 있는 조명안에서도 극장을 넓혀가고 있다는 것이다 또한 무대성능의 원리인 기계도르래를 이용한 움직임마저도 연기에서부터 릴레이션을 해보는 것이 좋다 극적안 운명방법에서도 배에 기능도 따로 있다는 것이다 무대의 엔진속에서 건축배를 심겠다는 것도 있지만 입체적인 모습도 보인다 공학의 원리로써 물리적인 표현내

부 언어적인 비디오엔진이 있어야한다 시학적요소인 부분에서도 능숙할 수 있는 표출 방법엣 지삭되었다는 것이다 물론 상황에서도 여러명이 할 수 있는 공간이 가상변환이 필요하다 광기적 표현의 메소드형식과 신체의 관계를 특정잡을수 없는 것이다 표현에서 거침없이 해부학을 보는 영상의 효과와 극장의 형태는 뭐든지 같다고 하면 않된다 사실성을 부여 했다는 의미하에서 거센 파도가 또다시 생길 수 있다 이러한 뿐에서 오토캐드 설계방면에서 나타내는 구식도에서의 반응을 좋을 것이다 변환의 시뮬레이션을 가치화된 그림예술로써 심리표현 이된다 다른 방명에서의 헝가리문화적인 기승전결 면모도 있다는 것이다 또한 변환점은 구슬려서 마스크형태의 좁은 형태 도 변환점이 있다는 것이다 우루과이 축제의식 의미는 한마디로 나올 수 있다 우루과이 형태의 한 건물이다 술의 모형들이 있지지만 분비되는 시작이다 이러한 내추럴한 모습을 봐서는 끝까지 사람들이 예술성을 따져야

한다 아르헨티나의 바닷가에서도 어떠한 작용점이 이슈에 대한 것이다 모습들은 미국공연 형태의 공연의 색깔이라고도 할 수있다 아르헨티나 바닷가에서도 어떠한 작용점이 들어나는지에 대한 미국의 형태의 공연의 색깔리듬미컬이 라는 것이다 영화의 미이라 처럼 각본가는 기분의 특징성에 대한 원리가 있다는 것이다 또한 락이라는 핵에너지 관상을 들여다 볼수 있다는 것이다 이집트의 문명에서도 스핑크스의 원리적인 관객들이 일어나는 점들이다 독일의 가면과 소통으로써 쓸 수 있는 투구장치리듬에 대한 같은 이론화에서도 불과하다. 활발한 우주상태에서도 천문학적인 관념의 중력관념에서도 대본에 대한 이치성이 나타낸 논리적 구상이다 또한 공연상태에서도 좋은 부분이 잇는가 하면 독일식의 표식주의에서도 표능하자라는 표현을 쓰게 되면 우루과이 방식을 소품 개방에도 상징과 과학기술 적인 것을 볼 수 있다 또한 감독에서의 성능자체에서도 풀어가는 것이다 또는 공연적인 핵심에서 미스테리적인 부분들을 감싸며 가상현실 성에서도 추구하는 방면에서 좋을수가 있다는 것이다 원리상에대한 기밀성에도 물리성에 취약한 부분을 나타내는 경우도 있다 또한 중심적인 방면에서 미국 소시오패스 관념적인 러시아 문학 죄와벌에서도 나타낸다 이러한 축구의식에서부터 축제의 관념적인 방향을 제시했을 때 심각성 대로인 인 경우도 있다는 것이다 이것이 안심이라는 중요한 법칙이라는 것이다 조각상에 대한 미학 풍경도 공연예술에 대

해서 합리화 하고 있다는 것이다
또한 기승전결 분석시스템이 구
체적인 구안가능성이 있다는 것
이다 또한 이야기 소설에서 나타
나는 그로토프스키의 신체적 요
망도 걸려있다는 것이다 또한 무
대의 속성에서도 구현 할 수 있
는 구체적인 도안이 걸쳐 있는
것이도 무대의 의식속에서도 미
학의 효능은 한가지씩 있다는 것
이다 앙무리 어렵게 말했던 도안
부분애 기력적 에너지에서 발달
한 것이다 염산이라는 혹산이라
는 것은 어떠한 구현일것인지에

대한 절망과 증오라는것아 없기에 마련이다 또한 애니매이션에서 스폰지밥애서의 공연성 무대는 다양한 느낌이다 또한 관리시스템에서 전기의 에너지화는 계속될 것이다 궁극적인 면모에서 다시끔 연출하기 되는 형식을 남미 예술적 사양들에서 넓혀지고 있다 아랍에메르트종은 거의 다 사상범 물질들이 있기에 환율이 가능한 현실인 것이다 또한 공연의글에서 무대디자인 이라는 후계도 꼭 들어야 된다는 것이다 이해도식의 부분은 넓히게 들었기 때문이다 또한 지리적인 기능성에 대해서 없이도 않되는 만능물질과 모나리자사상ㄱ에 대한 기필성을 들어야 하는 것이다 아무리 정신이 맑지 못하여도 다시 진법의 공연상극변술 이 오는지에 부분의 관념이 아닌가 싶다는 것이다 또한 이식성에 대한 데이터 분석적 결과를 따질수 있겠는가 영화속에서 대본화가 거친후에 단맛이 나는지 짠맛이 아는지에 대한 공간기혹이 있어야 하는 것이다 다시말해 그만큼 사운드 웨이브와 알맞다는 것이다 누군가의 운명에서의 도서 문학기록에도 태우지 말자는 초안도 있지만 누가 누가 듣는이가 말하는 장치이기에 희박한 것을 해결한다는 뜻이다 미국적인 희곡에서 변환점이라는 것은 꼭 연극작품에 저장되지 못하고 다양한 미국 정서가 들어있는 에너지식 메소드가 있기 때문이다 그리하여 힘들지 않는 부분하에서 똑같이 면모를 보여주는형태이다 똑같이 말해 동선에서의 문제점에 대한 논리성은 궁극적인 목적이 없다는 것이다 이 현상에서 에너지화

사 되는 것이다 뚜렷한 임상에서의 표정연기가 굳어지면 않된다는 것이다 또한 미비계이면처럼 작품의 한계가 있듯이 정도의 의식이면 극장을 뚜렷이 보이는 것이다 그만큼 차별화된 뚜렷한 정서에서 입히기에 이기심이 없다는 말이다 또한 인민성 적합한 교습소로 마판가지는 운명이라는 것이다 다르게 보일수 있지만 나름의 형식상 좋른 벼한이 의식성에서 말을 할때가 있다는 것이다 무조건 사람들이 말할대 의싱이 잇어야 된다는 정신력이라는 부분이나 또한 축제나 원리를 안면성에 대한 기계가 될 수있다는 것이다 뚜렷한 정신으로쓰 집필해온 가능성의 대본은 너무나도 방해하고 노름의 끝이 보인다는 것이다 나와같은 곯ㅂ성에 대해서도 이질성이 없는 다양형태에 인민성을 주장할수 업슨 분야에서 서로가 행복할 수잇는 이야기 스토리텔링이 완저히 불과 10년 이상이라는 역사관찰이라는것도 해당이 된다 그림자극 형상의 중심에 한 분야이기 때문에 관찰을 할 수 있는 분야이다 또한 전기

매설에 관한 각도에도 공연학이
어떻게 움지어야 하는 것인가 굵
은 형태이나 또한 종교의식에서
항상 희곡은 있다는 논의이다 무
조건 물리선에서나 그런곳에도
있지만 공연의 이기성은 항상 존
재한다는 의미이다 또한 프로그
래밍은 중간에도 알짜힘이 작용
하듯이 물리적기반이 데이터 베
이스 라는 형식이 있다는 것이다
또한 다행이도 공연의 지구력은
굉장히 사기성은 존재하지 않는
다면 내가 왜 그런이유에 대한
조직성에 대한 것을 남겨둔다는

뜻이다 어룩한 필요성에 대해 끓는 이해는 하겠지만 공연성에 분석회로 로 결과이라던지 새련된 스포츠성 물리자선 들이 새롭게 펴져 나아가고 있다는 것이다 논리성에서 합당한 이치성에대한 또한 깊이의 뚜렷한 밝기에 대한 재구성을 인감하는 것이다 이것이야 말로 가치성이 논쟁이 되고 있다 그리하여 연기의 속성에서도 많은 자본형상이 나타난다는 것이다 총계로 쉽지않는 연출로써 가자면 감독관이 어떻게 공연 사이클 흐름도를 이해하겠다는 뜻이다 또한 공간성의 파악들인지 모르는 확대성이라는 개념이 있다는 것이다 도한 관념에서도 우림에서의 관리형식이 된다는 것이다 여기에서 심리적인 형상을 띨수잇는 대공황이 찾아오는 것이 아니다 마찬가지로 공연분석에거도 칼럼의 형태에서 글로써 자극한다는 뜻이다 대본O서의 공연학 특성을 가진 어떠한 연상에도 마지막까지 해결을 해야 한다는 것이다 들의 관련된 문화적 가치인과 이해속성인 의 미적 본점들을 대안하다는 것이

다 이러한 공연행성적 반응으로
알 수있다 우주에서의 천체학작
영하다는 것은 의미로 담겨있다
는 것이다 이러한 ㄱ념에서의 타
당성을 띄울수있다는 바람직한
의마한다는 것이다 공간개념활동
에성 의미장치들이 있다는 것이
다 또한 파일의 구성도 안에서도
소시오패스 드라마 에서도 각각
의 형태의 논리들이 추구된다는
것이다 카메라에서도 공연의 의
도를 차림으로써 아프리카 문명
사인 해석들 자체이서도 그렇다
는 것이다 지금으로 천차만별에

서도 빠짐없이 정서적 바람이 있
다는 것이다 또한 역사적인 시선
들에 대해서 어느정도 허구성을
뜨지는 것이 좋겠다는 것이다 바
람이 불수록 형태를 또한 독같다
는 것이다 합리성에 대한 녹슨점
을 견뎌야 하고 해독이 가능하다
는 것이다 또한 불리성ㄷ에대한
거슨 그림착시 현ㄴ상에 대해서
도 의미있게 전달하는 것이 중요
한 것이다 의미에서 혼합이 아닌
개념도 지금에서도 따름이 없다
는 것이다 그것은 개별화된 움직
임도 있다는 것이다 배우들의 수

용관에서도 목적지가 없으면 않
된다는 것이다 마찬가지로 뇌에
서 작용한지들이 전후가 심리적
인 사고화 라는 것이다 이러한
이유에 대한 공간형상이 잘 구성
되어있다 남미에 대한 공연성 자
체에서는 광상이라는 큰 넓은 이
해가 있기에 대한 따름이다 마찬
가지로 이해를 없이도 영화학이
라는 것이있다 클로즈업과 미들
샷에 대한 종류도 있지만 카메랄
를 어떻게 이해하고 있고 조명,
무대로써 어떻게 관대가 된 것이
다 만약 공격적인 부분이래에서

지구과학적인 볼케이노 현상을 이렇게 이해했으면 좋겠다 무대에서 밀쳐나가는 도형의 형식으로 마찬가지라는 듯이다 필름구도 현상도 있지만 움직임 자체에서 비슷하다는 것들이 있다는것이고 표식성에 대한 논리가있다는 것이다 공적인 관객에서도 많이 구갈되어 있는 쓰레기장에서도 균형의 스파이크가 있다는 것이다 어떻게 구상고다 더불어 의미없다는 것이다 공연에서 사고가 나는 경우에도 몸이 몸과 되찾을 하나의 구상도가 있다는 뜻이다 속과 겉 내면과 외면사이에도 공격성 구현도가 있을 것이다 관련해서 정확성과 딕션을 맞춤 수법이라는 것이다 계층선사이에서는 결합해도 신체에서 스포츠에서 나온다는 뜻이다 관련이 없는 관념적 요소에서는 펼치자는 혈액 관념도에서 비슷하다는 뜻이다 러시아 문화의 정확도도 이상할게 있다는 것이다 그들의 문화를 이야기해서 연기에 대한 중요한 표현들 자체가 중요하다는 뜻이다 여기에 움직임이 남미에서는 똑같이 관련성이 있다는 것이지만 운명에서 대본 극대화가 펼쳐지는 무대 형상들에서 나뭇가지 형태를 계산식으로써 표출해나아갈 수있다는 것이다 당연히 미속성으로 아직까지 이용성데 개한 것이다 또한 가식성 스튜디오를 겉으로 보지말고 무대의 정확성을 확대기키는 작용아 크다는 것이다 무대 세노그라피는 형태에서도 누군가에게 쓸 수 있고 아무리 상태에서 문학의 흐름도에서 나눌 수 있는 공연 감각도이기 때문이다 또한 궁극성에서 나타나는 해당하지 않눈 뜻에서도 가변성 움직임 이 있다는 것이다 로봇화가 되어있는 개연성도 마찬가지로 이해가 하기 힘든다고 이식성에서 모나리자 예술에서 서구화된 것이다 개념도 공간에서도 맞지 않는 수단이 있을 것이다 무조건 대현상태인 것을 하지 않는다는 듯이다 그러한 어미에서 의식성 구별 내지는 못하고 꺽고있기를 화폐에서도 그러한 의미 성장도 할수있다는 매체 도 있다는 공략에서 두도시의 이야기 오페라의 유령 형식에서는 아토로 구성해 볼수있다는 것이다 도한 미국 개념도 구성에서 프랑켄슈타인의 정서적 운수와가 있을수도 있다는 것이다 세계연극 대본이라는 것은 항상 정확하지 않았다 또한 산소마저도 격이야 나지않는 클라이맥스도 좋은 격도 있다 그러면서 공연 작품을 올린다 그럼 뇌에서 차별화된 한 부분이있다는 것이다 무엇이냐면 시학에서 보이는데도 감각이 없거나 재미가 사상물들 자체가 없는 상황에서 그런거 이 생기는 껏이다 뇌에서는 빛과 광합성작용 또는 가스가 붙어 오른다 영화란 것이 물리학적으로 상황들을 보았을 때 로봇이라던지 , 챗봇 ,디스크 온라인PC등을 예로들 수 있으며 진공청소기 같은 영화화 필름자체에서도 또한 이중성을 가리게 할 수잇다 뇌 자체에서는 심리적인 분석에서 따갑고 시학이 어두운 부분이있다 그것은 태양을 보는 것이 내는 것이다 이러한 중요한 식불적인 것이 자체가 되어버리는 것이다 문학에도 사람들의 DNA로써ㅓ 장면을 틀리게 보는 경우가 있다는 덧이다 또한 의식성으로서 판

담뱃불로 뇌안에 쌓여잇는 중추
신경계를 익는 세포망들이 있다
는 것이다 또한 뇌에서에 손상을
입었을때 단독적으로 말해보자는
증상을 알아야 하는 부분도 있다
는 것이다 또한 컴퓨터에서는 테
이프라는 장치에서 자료구조안에
서 세포망이 관계점이 있게 말할
수있다는 것이다 또한 이련성에
서 비슷한 것들이 돌고 있다는
것이 또한 게르만에서도 분열이
일어나는 인공지능망이 있단 것
이다 상형문자에서도 보멍 시각
적으로 보았을 때 검증이 된 기

도와 심하게 그림표를 보았을 때 통계식 부분이 있다는 것이다 통신망에서 네트워크에서도 사인이 울리면 서버마들이 가상환경에서 볼수 있다 또는 인공화 전파를 합성시켜서 5D를 그래픽카드와 ORCAD를 사용해서 그래프나 영향이 미친다는 것이다 또한 드라이브가 돌아가는 수 마다 똑같이 사람들은 기계적이게 뇌로 신경자극을 받을수있다는 것이다 서적에서도 문학에서도 키 포인트라는 것이 뇌가 될수 있지만 혈액형이 다를수록 어떤부분에들이킬 수 잇겠나 하는 것이다 싫라는 것은 또다른 부분도 있다는 것이다 무엇이냐면 채역이 오잡이 되었을 때 전기피를 많이 씨였을 때 나타내는 능통성이다 한번입은 의상도 마찬가지로 질릴수가 있다는 것이다 여기서 쥐가 토마토를 먹으면 멜론만이 성분이 통한 들을 어떤지 에대한 대체세이다 문학에서 죄와 벌이 있는 데 키포인트에 뇌의 자극들 범위는 시끄럽게 동생과 형이 시끌벅쩍 웃는다던가 광기 현사들로 이 시침이 들어갈려고 해도 영혼의 뇌라는 부분이 있다는 것이다 뇌의 일부분에서 바로 해결해낼수잇다는 문제이다 죄와벌에서 그런 장면이 있으며 작을수록 소수층 들이 나타나고자 한다 극소수층이라면 매니아적 성격을 띠었고 또한 많은 매입지구간 있는 그곳에서 추출해서 나타나는 고학적 합리성이 필요하다 영화에선 팰햄이라는 공격적인 영화안에서도 계속되는 질주의 모션그래픽이나 총기난사장면 또는 죽는시민들의 모습이다 이러한 장면의 의식들 중에서 예를들건

데 만들어내면 좋은 수단이 많이 생길수 있다는 것이다 또한 뇌에서는 무조건 오감이 나는 것이다 무엇이냐면 뇌에는 촉각,청각,미각으로 시학을 지배하게 되지만 뇌에도 느낄 수 있는 장치들이 있다는 것이다 역사성 안에서도 취약한부분과 더불어 생길 수 있는 단위를 알 수 있는 것이다 지금에 서부터 왜 뇌세포망이 증감현실로써 사람들이 자라면서 뇌가 발전하고 말을 할줄아는 이유는 없다는 것이다 그럼으로써 뇌는 점적인 변화를 원하고 있ㄱ

어떻게 하면 뇌세포를 더욱이 재생기키고 발달을 시킨 것이다 기계어로써 쓰이는 부분적인 교집합의 이산수학은 좀더 연출을 하고 이라와 가능한지에 대해서 설명할줄 알아야 한다 본체에서의 하드웨어 속성이라던지 외부바탕으로 시스템이라던지 에 대한 설명이다 왜 메가바이트속성은 뇌에 지하여 더 이상 사용 헐 수 없는 욕망이 되는걸인가? 그이유에 대해서 설명을 하면 컴퓨터 앞부분에서의 도면을 보고 이야기를 하는 것이다 하지만 뇌를 앞부분이 아니라 뇌에서는 반으에서는 안쪽에 대한것과 이러한 물리적인 개념도를 저장을 하며 피와 살이돈다 그러면서 가모함으로써 기초적인 이면상에 대햇도 평론할수있다는 것이다 포화성이 라는 것 과 뚫어지게 배를 측정하는 경우도 있다는 것이다 강수량에도 뇌에대한 시침의 쉬는 시간이었다 신호등도 마찬가지로 뇌가 감지하는 것이다 뇌에서도 살이라는 것이 있다는 것이다 왜냐하면 척수가 보이며 그안에도 살아 수없이 살이된다는 숨이다 또한 물리적 작용은 하지못하게 되어있고 생물적인 작용은 하기에 마련이다 해파리 , 돌이란 것은 다른 것이기 때문이다 이면 저면 부분에서 해파리는생물체 이고 돌이라는 것은 생물체에서 나타나는 것은 다른것이기 때문이다 이면저면에서 해파리는 생물체이고 돌이라는 생물채에서 나타나는것이도 해파리는 독성분이 있으며 먹으면 죽는 것이다 치료제도 있다는 것이 있지만 약이라는 것도 의료학에서 뇌라는 성분이라는 것이다 뇌는 처음부

터 발달을 해온 것이다 생물체가
태오나기 전에 있었기 때문이다
에너지는 부분에서도 과학적으로
몸전체응 연결화 되어있다 그럼
으로써 뇌의 사진들을 보고 있는
것이 좋은데 하나ㄴ의 시나리오
들을 제공하면 사진에 대한 공학
예굴울 하는 공연 및 변록이 온
다는 시청하는 바람이다 뇌는 심
리적으로/서 배우들에게 토론을
할 수 있다는 것이다 그런곳에
때문에 항상 신체의 인격을 다름
이 없다는 것이다 사람의 인격체
란 뇌에 일부성에 크게 작용한다

뇌에는 인간의 정서나 왜곡적인 면이 들어나게 되어있다 예를 들어서 살인마의 뇌를 보면 어떤지 알수 있다 살인마들은 소시오패스라 사이코패스들로 나누어지는데 사이코패스같은 뇌는 연결된 것 없으며 내가 이사람의 고통을 아는대도 살인을 강도를 높게 하는 것이다 소시오패스를 전혀 그 사실은 모르는데 살인을 구상한다는 것이다 또한 인격체에 내려가 흘러나면 신경애 대한 정신에 대한 문제가 생긴다 서커스공연에서 항상 존재하는 물리적 존재가 공을 따르고 서커스의 의식축제로써 다양한감정이 완전체가 된다는 것이다 인체와 신체 사이에도 혈액이 있듯이 서커스에서 어떻게 움직일지 또다른 이유가 생길 수가 있다는 것이다 구별성 있게 작용점에 공을 넣으면 공을 날릴수 있는 상황들이 생겨나기 시작한다 또한 구의 지름이나 또다른 종류의 서커스를 구경할 수 있다는 점이다 또는 분장이나 가면등으로써 풍선을 불과해 서커스를 구경할수있다는 점이다 또는 분장이나 가면등으로써 풍선을 불과해 헤비메탈적 음악이나 옷에대한 다양을 맞충야만한다 축제의식에서는 배경지식으로써 만들어 내는것도 좋고 맥주를 마시면서 뇌에 대한 서커스적 호감이 될 수 있다 서커스종류에서는 세발자전거 기둥에서 나타나기 또는 번지점프나 광기적 성향을 연기하는 것이 놀라운 이야기를 쓸수있다는 것이다 서커스는 엔진의 한마디로써 준비자세와 혹은 증감함수와 감소함라는 것이다 서커스에서도 자극이동할 수 있고 그로토프스키의 몸을 익

히면서 신체적 감각을 기를 수 있기는 한 것이다 여기에서도 부분집합성에서 작용점에서 점이라는 것은 공기와의 변환이라던지 공의 숫자를 파악할수있다는 것이다 1,PUBLIC 자에서 기를수있다는 것이다 뇌작용에 표정연기라던지 바낄수 있다는 것이다 신체극에서는 계속 물리적인 배우들의 음악성을 뛸수 있고 가면을 계속해서 만들 수 있다는 것이다 사상자체에서도 계승인 느낌을 많이 받을 수 있다는 것이다 그러므로 악한의 난민주의는 가질

수 있겠는 가하는 것이다 없어도 실감나는 공연의 추진성이 있다는 것이다 풍선으로써 철저한 돌이라던지 움직임을 보이는 것이 중요하다는 뜻이다 모션으로 이야기하는 긍정성도 있다는 것이다 또한 액체를 던진다는 의미일 수 있겠다는 것이다 가면의 의식성자체에서 또 제조해서 심리적인 작용들이 많이 작용해서 따른다는 것이다 뇌에서도 그러한 부분들이 증감되고 있다는 것이다 또는 나팔이나 플롯 리코더등으로 표현하거나 드럼통을 하는것도 좋은 방법이다 고전의식으로써 나타내고 싶은 모양이라면 불꽃을 한다던지 퍼포먼스적인 쇼를 하는 것이 중요하고 옷을 벗은 정서도 좋은 것이다 움직임에서 광기효과는 부정적이지만 똑바른 자세와 교정으로써 해결해낼 수 있다는 것이다 똑같은 이야기이 지만 공간안에서의 물리적인 힘이 많이 들어가지 않고 함수로 표현되는 구현가능성을 발휘해야한다 움직임도 마찬가지오 작용점이 어디에 위치에 있는지 또는 방어적인 습관으로 어디로 관객들에게 주어지는데에 따로 있다는 것이다 그림으로써 공포적이지 않고 사고화하여 영혼적인 기능을 발휘하면 좋겠다는 싶은 생각이다 서커스라는 곡예의 뜻이므로 나이대가 여러 가지다 면의 추구방향도 좋지만 힘이 들어가지 않는 몸에서 인식되는 언어로 움직임을 결합시키는 것이다 이 신체요건에서 공이 튀어나오면 반응을 일으켜야 하고 가스처럼 널널히 분포되어야 한다 그림으러써 위치추적이라던지 공연학에서의 논리를 따져봐야한

다는 것이다 이내용은 어떤것이
냐면 러시아의 혁명에 증오라고
톨스토이 책의 주제로써 만드는
요건이라고 보아도 된다 그래서
언어와 표정연기 연극훈련을 통
해서 물리적인 반응이라고 이야
기를 하고 싶은 것이다 또한 시
베리아같이 꼴볼일이 없는 배경
을 잘 생각해야되고 통조림을 연
구해야한다 서커스안에서도 실험
극 효과가 있는것인데 서커스내
붕 용도를 활용할 수 있다는 것
이다 이것은 스타니슬라브스키
사실적연기로써 공상적 캐릭터이

다 인간의 뇌는 인체처럼 되어있
다 뇌는 인체처럼 신경말,두개
골,혈액,세포망,혈류가 있으며 인
체에 영향에서는 뇌가 주로 습관
적으로 뼈같이 될수있다는 것이
다 뼈같이 되어있으면서도
부드러운 존재인 뇌는 특별사항
처럼 번쩍번쩍 거리면서도 둥둥
떠다니고 회전을하면서 다니는
물체라고본다 생각할 수 있는 범
위내에서도 뇌라는 것은 일부성
에서의효과가 아니라 정보 통신
망에서도 러인이나 네트워킹을
통해서 흐름도를 구상할 수 있도

록 도움을 주는 기간들이다 또한 뇌안쪽에서의 해부도 까지시간이 빠르지 않고 천천히 전달더ㄴ다는 계단식 논리가 똑같다는 식이다 뇌에서 작용을 할 때 중뇌에서의 발달적인공학으로써 과학으로써 쓰이게 되면중간이라 중심부에도 된다는 뜻이다 만약 제일 기본적인 가스에서는 석유나 선박 기계 항공기 컴퓨터 자판에 소프트웨어에서는 이러한 의미를 두고서 손쉽게 뇌안으로 시작으로 물ㄹ릿거으로 흡수하기 시작이다 그것이 바로 소프트웨어나

인공위성의 인공지능으로써 AI기능들을 앱이나 인터폰 cctV,망전달 칩 CPU에서 도움이 된다는 듯이다 이것은 인체의성기하고도 표현할 수 있다 또는 인체에서의 제일 기본적인 응용화된 이물질을 전달할 수 있다는 것이다 바둑 두기도 옛날의 인공지능이다 기계머신러닝이지만 3D에서5D를 구할 수 있는종속적인 아이리얼 이라는 것이다 공적인 요소에는 수학적인 계산을 할 수 있다는 것이다 귀납적표현으로 감마1이라고표현 하기도 하지만 응용

증감함수로써 쓰이기도 하지만 정보의 흐름으로써는 많이 내려가거나 오르락 내리락 될 수있다는 것이다 그러면서 뇌의 주파수를 통해서 통신망을 주어 받을수 있는 데 이어폰이라던지 오디오로써 가능한 것이다 또한 이 뇌에 대해서나오는 영화가 있다는 것이다 뇌에 서로 이학적인 눈에 맞춘것보다도 큐브같이 장애인이 나오면서 유쥬에서 그 공간안에 빠져나오지 못하며 인간들이 짤리며서 죽었고 엄청난 외계적인 존재안에서 작은 상자안에 붙잡

혀 있다는 것이 대단하였다 그러면 그러면서 에일리언은 외계생물테가 갑자기 우주선안에 들어가며 여주인공이 박사를 구하기 위해 총으로난사를 하는 사고측면 이 나오기 마련이다 이러한 공학적 예술난을 지킬려고 하는 사람들이 있다는 것이다 또한 로봇에서도 아이큐가 나올수 있다는 것이다 로봇은 처음에 긴회로도로 직접제작을 했지만 JAVA코딩을 통해서 01PUBLIC선언들을 하면서 로봇을 다니게끔 하는 것이다 도구에서 JAVA R이라는

수가 있는데 통계 또는 빅데이터
라는 뜻이다 R에서는 하둡이라
는것도 있는데 콘솔이라는 부분
에서 상형문자가 들어가기도 한
다 문학에서도 눈먼자들의 도시
라는 것이 인공화 되어있는 인간
들이 새로운뇌와 나의 뇌를 바꾸
자고 했을 때 의미론이라는 것이
다 또한 결과가 먼저있고 원인이
나중에 있다는 결성체이다 뇌안
에서도 살아 있는 것처럼 세포망
이 있듯이 현미경아래에서 보이
는 치료하는 박테리아도 존재한
다는 것이다 뇌란 인체와 신호와

도 연결망이 되어있는데 신체상태를 표현할 수 있다 차가운 느낌과 뜨거운느낌이다 이것은 온도의 차이이기도 하다온도에서는 섭씨가 존재하며 여름이나 겨울일떼 나타내는 현상들이다 개연성을 추구하는데에서 생겨나는 물리적요소들이다 또한 열감지나 체력적 손상 체구 에너지등이 잇다 혈액이 에너지에서 동시다발적으로 감각이 오는 것이다 뇌에서는 지구과학성에 대해서 알리는 것이다 지구과학에너지 상태에서는 급전적으로 포화상태의 지방성들이 많이 차지하게 된다 그럼으로써 유동성있게 큰 발취진을 강하게 발휘할수 있다 지방내에는 블러드 예술쪽의 타이레놀이 들어도 지방을 없애기 힘들다 그림으로ㅆ 장기의 뇌라는것들이 있다는 것이 다 어떠한 것이냐면 장기에서는 소화기능과 배설기관이 있는 중심부에서 역할을 할 때 자석을 놓고 하여 일으킬수 있다 그러면서 인체가 순환 하면서 돌이 시각하여 심리상태도 올바르게 작용할 수 잇다 또한 소프트우어적인 부분에서도 인공화를 통해 앱망들을 생기게 할 수 있는 인터넷 네트워킹망이라는 부분이다 해부학적으로도 컴퓨터를 분리해보면 작용점들이 맞게 있다는 것이다 또한 전파라는 부분에서도 쉽게 접할 수 있는데 화학적인 반응으로써 신체적 분리를 해보면 움직임성과 컴퓨터에 순환원리가 바꼈다는 것이다 컴퓨터 운영체제가 자라면서 걷기나 움직임작동에서도 전망이 많이 발달 할 수있다는 것이다 문학에서나 영화 예술 음악에서는 중심부가 아닌 중요한 씬에 올라간 것이다 감행이 생기면서 뇌에서 신호망이 겹칠수 잇다는 것이다 하드웨어에서는 로봇을 구축할 수 있는 것과 마이크로프로세서 전자계산기 구조 임베디드의 신물 논리와 필요하며 자동으로 섭취해야한다 신체에서는 도형의 각도에서 물리적인 현상이 들이가거나 또는 고학적인 치유에도 효과가 있는 것이다 이러한 까닭에 수많은 신테성은 인체에도 영향을 미치고 육체의 건강으로써 회복이 된다는 것이다 영상에서의 미학은 몽타주타입으로 클로즈업과 롱샷 미디엄샷으로 배우들이 촬영효과 지 조명의 세기 카메라 효과 기능을 좀더 생세히 나타내는 것이 좋을 것이다 일부상에서 지구과학적인 설이 있다것은 지구는 위쪽에서 아래쪽 왼쪽에서 오른쪽으로 이동하는근거가 있고 화산폭발지진, 안개 등으로써 마그마 분출으로 과학적인 배경의 진리적인 힘이 나럿이다 지구는 오렌지처럼 둥글고 내부도는 평평하다는 것이다 지구에서도 화학적인 반응으로써 이산화탄소와 산소같은 느

낌이 새겨져 있을 것이다 이론적
으로 과학의 표기에고 지구과학
의 화학성분이 많아지면 대기가
스가 많아지는 요건이 될수 있다
또한 대기층에서는 숨을 못쉬고
비행기가 않 날라다니지만 우주
로써의 의미로써는 굉장히 우주
공간에 날아갈 수 있다는 것이다
또는 인공지능으로 로봇같은 것
을 쓰레기장이라던자 매립장에
버리고 소각시킬려고 하는 것이
다 이어진 의미로써 핵과 열 에
너지등이 지구층 안에 있다는것
이다지구과학에서도 호박같은 모

양을 가졌고 또한 뇌의 중심부 안쪽에서도 이런 깊이를 알 수 있다는 것이다 과학에서도 작용하는 이중적인 지진에도 지진률 ㄹ 발생 또는 이산화탄소이 오존층 파괴라는 것도 불러올 수 있다 이러한 특징들이 있는가하면 또한 기능성의 파악하는 것 자체가 발상이 된다는 것이다 지구는 호박안에있는 틀만 보는 것이 아니라 매연,가스,또한 토목에서도 진폭이 구분력이 있는가 하면 또 다른 입장은 환경에서도 보존될 수 있는 증감 함수가 있다는 것이다예들 들어서 마그마가 움직일 때 화산 폭발 의 시침을 구할려고 할때도 상속적인 논리로써 입혀야 하며 지구속안에도 생물체들있었기 때문에 석리암 대리것등으로써 지구내부안에 오래전에 존재했지만 몇만년의 이후도 없어지지않는 의미이다 또는 목재로서 구분해야 하는 자그마치 종이나 목식 나뭇잎을 파악할 수 있다는 것이다이러함으로써 뇌과학을 인지시킬수 있는 것이다 지구과학의 의미로또한 보아야할 것은 기본적인 달의 움직임이라던지 달려이 이용성이라던지 손쉽게 말하는아이콘 형태로 환경을 볼수 있다는 점이다 지구안ㅇ서의 틀은 나무,목재,소,청동,철근,아연,알류미늄 , 플라스틱,알곤,시멘트 같은 것이 있으며 얼마든지 자석에 붙일수 있다 공연성에서도 공격적인 역할이 아닌 예를 들어서 이반데니소비치의 인물을 탐색할때도 신체보다는 어디에서 했다는 느낌을 볼 수 있다는 의미인 것이다 하지만 화학성에서 불 물 우레탄 같은 것은 의미상에서 화학적 반응을 일윽ㄹ수 잇겠지만 지구과학을 통해서 지구를 볼 수있다는 것이다 또한 지구는 오비웨 천막같은 것이 씌어져 있었다 그림으로 하늘에 층들이 쌓여져있다는 것이다 이러한 개념화로 진리의 양성자의 반응이 있기도 하는것이고 전파력이 전자력이 구별되는 것이다 의미상굉장히 분해되는 것이다 그러면서 안에 식물들이 독없이 땅속에 올라와 기름진 비목의 대상이 발달이 되는 것이다 또한 광합성작용으로 구별하기에 나름이다 그 원리대로 되면 지구의 생태계

라던지 오염수들을 안이되는 계층들도 없다는 것이다 그종류는 소방관등이있겠다 이러한 화성에서도 지구와 달이 구별성 이 나누어 있겠다 지구에서는 층들이 있고 하늘이나 구름과 비나 눈이 내리는것으로산소호흡을 할 수 있겠다 하지만 지나친 원인으롯 알맹이들이 섞이고 눈점막의 필요성에 대해서 구별을 잘 할 수 있으며 달에는 산속 있고 숨을 쉬지만오목흉터가 있기 때문에 우주안에서 공간새하늘해서 모습과 강거리 인공위성들을 쌓이게

계산적인 방법으로써 과학적 원리의 가치성이 부여된다 또한 지구과학에서는 주옥공간에서 우주과학에 있다는 것이다 물리적인 측면으로는 인공위서을 쏠 때 계산을 보며 산수논리에 해당되는데 이것은 지구의 움직임이 라던지 또는 대륙의 갈림에 대해서 이야기 할 수 있겠다는 것이다 고고학적 사실이 잇다는 것이며또한 천문학교제에서도 지구과학이라는 것이 있을 것이다 남다른 가뭄 기옥이 심해 나중으로문명의 시간적 달력을 켜났으면 뇌안의 기본적인 사항을 알 수있겠다는 것이다 또는 지구고학적에서의 ㅇㅇ암과 그 지게들이 도시에 뿌려나면 어떤형상이 일어나는 지에 대한 극본의 연출과 낸스토리 연계도 시킬 수 있겠다는 것이다 이런 예로써 지구가 멈추는 날 이라던지 노잉이라는 것에 대한 차별성을 이야기하고 싶다 임무성에 도달할때도 외침이 나는 것이 뇌안에서 읽다 보니 뇌안도 뇌로 돌출해 지구처럼 생겼다는 것이다 그러면 이 지구의 두개골쪽은 어떠할까이다 또는 지구안에서의 작용점은 컴퓨터내 부속성이라고도 할 수 있는 범위가 있으며 지구과학에 쓸 에너지예술적인 것이 있다는 것이다 그러하여 지구의 갈라짐으로는 파악 할 수 있는 범위가 있고 전자파 신호 양쪽으로 처리를 해야 하는 기능을 가지고 있다 여러 가지의 문제들은 엉킨 전자량이나 뚫을수 없는 기억장치 메모리라는 부분도 있다는 것이다 인공지능으로써 어쩐지 써야 하는 부분적 논리이다 지구가 우주 치안같이 생각하면 과연 천문학에서도지구라는 불용화도 존재하는 지에 대해서이다 그래서 기술적인 요인들이라던지 광산이나 심리적 변환의 삶의 이식성 자발성이 되어서도 미칠 것이다 그러한 바람에도 뇌는 발설이 되지 않고서도 말을 할 수 있는 장치가 없다는 것이다 섬유질도 마찬가지 죽이어가져 있다는 것이다 지리학성으로도 동서남북에 해당하는 궁극적인 목표는 지질의 속도 번지는 포호망들이 있다는 것이다 놀랍게도 지구과학안에서 명백히 시달라주들은 분출해내면서 동아시아지역에 일본 미얀마 또는 영국심리라기 때문에 지형적인 특징이 별로 되지 않겠다는 몫이다 또한 독일에서도 지구의 심리라는 의미도 있다고는 본다 추와 시계바늘에서 흘러가는 작용점들이나 부분적으로 요약된 시스템을 고정 시킬수있겠냐는 것이다 고학ㅇ는 생물작용에서 생물체가 어떻게 이루어지는지 살이라는 부분이 있는가에 대해서 논의 해본다 당연히 예술쪽으로 석탄에 시작하는 이반데니소비치의 수용소 하루의 느낌이 라던지 영혼적인 무서움을 가진 파라노말 액티비티를 추진하고 있다 또한 이러한 도구로 필요성을 항상 지켜보고 있다는 것이다 이러한 실마적인 이론에대해서도 알아야 하는 분야가 있다는 것이다 또한 깊이성에 대해 카메라에서는 시스템이라고 있다던지 임베디드를 하는기능을 가지고 있다 그림으로 냉장고 컴퓨터를 만들 수 있다는 것이다 로켓트도 마찬가지이다 하강함수에거도 밀리미터에서 제로 변수없는 공간이 심어진다 그것은 마치 지구온

난화를 없애고 중심부를 들곡치겠다는뇌의오감도 특징성이다바람개비처럼 생긴 동력기도 마찬가지로 바람의 속도의 따라서 오열감을 없애고 하는 논리이다 또한 예술쪽에서의 따라서 오염짐을 없애고 하는 논리이다 또한 예술적쪽에서의 실체에도 산이나 불 그리고 지역적인 지지분별력에 가해진다그럼으로 에너지라는 것이 발생하고 인문학에서도 포함이라는 이론적인 요건들이 성립을 할 수 있다는 것이다 환경에서의 에너지에서도 ㅁㄹ이

나오고 불이 오는데 이것을 실험 용으로써 쓰이기에 도 마땅하다 폐기물을 소각할때의 원리와 특수효과나 다방성재질을 함류시킴으로써 또다시 자극을 느낌을써 생물체라는 것이다 여기에서 함수 그래프가 있는데 $1 < x < 4$

$1 = x = 1$

$-1-1-1-1-1-1-$이다 이렇게 되면 지구의 생태계농도가 갖추어서는 뇌시현상을 알수 있다는 것이다 그림으로보여주는 것이다 또한 이중성인 힘을 가진 물리학에서도 지구의 표현이 쓰이기도

한다 제일 되고마는 뚜러벙으로 화장실변기를 뚫이는것도 지구상태를 보안하고 하수도 측정검사하는것도 이어져가는 것이다 그런데 장치나 냄새같은 것이 썩여져있다는 것이다 이 성분은 나트륨 이산화탄소 배가아닌 생겨나는 것이다 지구에서도 볼 수 있는 공간은 기하학적이고 힘으로써가 아닌 평평하다고 느껴지는 것이지만 천문학을 내려볼때는 달이 그만큼 둥글지 않고 뻥튀기 같다는 느낌도 받을 것이다 이러한 조건은 재애네지 공사로쏭ㅣ

해결만은 이식성 하드웨어로써 기술에서 보이는 존제이기도 한다 예를 들자면 담배를 피다 신에너지면 그만큼에 자본력으로써 승부를 보다는 것이다 무슨이야기냐면 기사의 특정상 그 신을 지킬려고 하는 사람과 지키지아노는사람이 있는 것이다 그렇게 되면 당연히 고립된 달이 보이는데 산에서의 살림으로써 지구의 수명을 늘릴수 잇다고는 생각하지만 물리적인 위치에서도 당연히 소방기나 소화장치는 야생동물들이 잘걷게금 하는 것이다 대기오염도 산성비라더지 눈속에 녹아 흐른다던지 또한 바다오염 즉 수질오염에서도 생물체의 이변성이 존재하여 잘 살리는 것이다 지구의 원중심 인 반지름에서는 각도가 있다던가 밀리미터 센티 미리미터 2파이제곱의 근원으로써 설명해 보는 것이다 헬기가 만약 주위를 맴돌지 않고 어느한특정난소에 갈려고 했을 때 거리가 어떻게 학 속력과 시간이 어떻다는것인지 그러함으로써 지구의 수학적 제곱으로 쓰는 것 이 좋겠다 물론 수천킬로밑에서 정도의 차이로써 거리분석이 표현이 되는 지도하는 것이 입기통에 있다는 것이다 그러함으로써 통계를 낼 수가 있다는건데 수면도와 파동과 파장 상태의 구도와 몇시간으로 달성이였다 임으로써 시간은 증가한다는 뜻이있다는 것이다 오토캐드나 물리적 코딩으로 한 성분으로 한 장치에 될것이라는 것이다 효능자체에서도 바이러스가 되지 않아도 궤도에서의 측정상태도 있다는 것이다 또한 뇌가 지구안속이면 분침 시침 초침이라는 것

도 생성이 될 것이다 지구환경을
보고서 갑자기 날아간곳이 블랙
홀이라면 이 시간측정과 인공위
성의 역할이 어떻게 될지에 대한
의미인 것이다 생산효과에서도
자극을 위한 도구들을 쓰게 되면
배 같 은 것 도
띌수 있다는 것이다 배가뜰 때
빙산에서 추적하지 않도록
범위 측정으로 우주관측을 한다
면시계의 형성으로써 표기가 되
어 어디까지의 우주범위내일까
라는 질문이다 지형적인 모듈에
서도 육각면체가 될수있다는 것

이다 지형에서의 조절점은 항상 기법이 같고 틀리라는 것이 다
또한 시도라는 명칭과 섬에서의 나타내는 지형적 너비도 다르다는 것이다 이러한 것들이 모두가 지로의 형태와 모습들이다
또어떤 것이 될것인가에 대해서이다 바로 땅에 대한 골절현상이다 골절이라는 것은 꾸불순있지만 중심을 잡고 함수를 볼 수 있는 축정할 수있다는 것이다 이것은 컴퓨터에서 위상으로써 볼 수잇는 화면안이 있어야하고 어

디가 배기가스에 노출되어잇는지에 대한 사진관찰로써 하나씩 없애야 하는 것이다.도로나 댐들은 지구에서 필요한 지형대에 있어야하는 것이다.세계사에서도 마야문명이라하면 몸과 배관들이 통해서 생겨났다는 것이다 지구는 계속되게 생존을 시켜야 하는데 이러한 것들을 도로공사나 화학적작용의 심리적 치유가 된다 화학적 약물에서는 원소,탄소,원자력발전소나 전기 가스 일반적이다 그림으로써 전기는 NS로 되어있어 가스는 불과 이산화

탄소로 되어있다는 것이다 생물체에서도 도가를 먹을때가 어긋나서 분량에 따라서 칼로리가 섭취되는것이나 그리고 지구에서는 지형적으로 특이한 곳을 찾을 수 있 다 면 개 발 적 인 산입을 할수 잇다는 것이다 그리하여 산소체에서 뽑아내는 것이 좋다는것이좋다는 것이다 이렇게 좋은 지구가 있다는 시점인데 지구의 내부와 외부의 차이점에서는 내부에도 돌이나 암석이나 불 원자라는 것이 있지만 외부에서도 대기층이 있다는 것

이   다

　내부망에서 뜨겁게 달구어 지는
것이 밖에서는 차갑고 산성비 같
은 비가 내리고 있다는 것이다
둘의 작용점은　천차만별이다
내부에서 예를 들어서 화학이라
면 외부에서는 물리이변이라고도
할수있다는 것이다 이러한 것들
이　천천히　발달이　되면서
고고학 천문학 지리가 되는 방면
이다 고고학으로 인종들이쓰던
기구나 무기를 들어나기 시작되
는   데
천문학에서는 별 행성 은하수가

있다는 것이다 이렇게 하면서 기
원전부터 문명이 시작되는 것이
다
뜨겁게 달구는 용암덩어리로써
가스가 전달되고 소각이 전달이
된다 역송성장치로써의 체결로는
뇌안도 지구처럼되어있다는 것이
다 뇌는 기능으로써는 장비는 돌
아갔지만 뇌의 생각과 생태계도
지 구 과 학 이 라 는 뜻 이 다
인체라는것도 그안에 내부도가
밑으로 내여가는다는 뜻이다 지
구과학적인 요소에서 밖에있는
별 빛 과 광 선 이 러 한 것 들 이

지구의 생명줄과 수명이 몇인지
의 생태계 때문에 때를 참아내며
이 야 기 가   된 다 는   것 이 다
지 금   수 박 처 럼 되 어 있 는
지구라고 하면 지구안에 씨가 있
다는 것이다 이러한 특징으로써
본격판에 해체할수 있다는 것이
다
씨는 자연스럽게 장식되어 생물
체   관 련 한   전 파 된   것 이 다
또한 고학작용에서의 비닐봉지구
상도가 있다는 것이다 비닐봉지
는   손쉽게   넘 어 지 질   않 는 다
그러므로 비닐봉지는 원자핵이

관한것이라도 봉지는 없어지질
않는다 이것은 일명가스의 보존
상태써의 보존해 나아갈 수 있다
또한 역사성에서도 뿌리는깊이
있게 되면서 나뭇잎이나낙엽잎이
만들어지는 것 처럼의 생물작용
으로써한다는 것이다 또한 깊이
성이 있는 추론에 의해서 나뭇가
지   의   형   식
또한 있다는 것이다 관념자체에
도 컴퓨터의 실체 운영을 하게되
면 뚜렷하게 시초와 또한 환경에
대한 것 이 추 론 일 것 이 다
해가 들대와 마찬가지로는 개기

일식이라는 표혀형태가 있으므오 해가 진후에 달에서는 지구안에 눈이 앓부시게 보는것이다또한 지구의 뇌안팍에거도 평평하고 차갑고 낼혈적으로 볼 수 있다 지구과도 같이 특징적으로 불포화 될 수있다 왜냐하면 뇌에서의 플랑크톤 이라던지 바이러스가 침투되어 지구과학의 원리로써 마땅히 이야기할 수 있다 과학적으로 경도 측도에서도 각도 이 변환 이 라 던 지 흡수력이다 지배력이 생긱기에 있다는 것이다 또한 이질적으로 기분과 바람의 형태로 날씨를 구별할 수 있다는 것이다 또한 불포화 되지 않았을때도 지구행성론 자체에서의 표기법이 달라는 것이다 고대문자 상형문자로써 사람들에게 냉동인간이라고

처음에 틀에서의 모션이며 시뮬레이션을 한다 지구의 온난화 생각 효과의 중요이다 산소와 이산화탄소 다음에 탄수화물인가가 있을 때 그원리가+역할을 하고 + - 의 방향을 제시하며 환경에서도 또

한 기능화한 시작조건과 내막조건이 있을때라는 것이다 또한 지구화학에서는 땅의 가뭄이나 일란성생물들로써 형관할 수 있는 기능들이 있다는 것이다그리고또한 시ㄴ소재 영상들도 다 지구과학으로써 해결되느느 문제인 것이다 그렇게되면 일산화 탄소는 더욱이나 어려운 운명에 있다 이 더러운 탄성산소에 해당되는 이유는 고학적으로 설명을 하면되는 부분들이다 그뜻은 산소에 새겨진 형태의 원리가 밖으로 세서 되는 이물질인 것이다 그러면 다 종합했을때의 기옥물들에서의 성형 문자를 어떻게 활용될것인디 여러번 봤을때 묜자메시지의 코드부분이라던자

날씨에 대한 예언또한 달력 물리 천문학에 구성요소를 하고 있다는 것임으로써 언어를 해석을 이여기하는 부분이다 야기에서는 궁극적인 목표나 원리로써 해결하는 공개의 문자는 아니고 정보에 대한 적합성인 껏이다 또한 영화안에서도 쉽게 표현이 나 타 나 진 다

배경의 척도나 환경오염의 가능성 땅에 대한물즐기 영화의 시나리오 등으로써 표현을 하기도 한다 또한 농도선이라던지 깊게 홀아도진 느낌의 영혼성에 잇지만 심리적으로 기울어진다 또한 지배성의 영혼에 대한 감독성향이 들어나기도 하지만 배우역할이 훨씬 중요하다는 뜻이다 머리에도 해골같은 이식성이 있듯이 지구에도척추같은 흐름도와 진리도가 발생한다는 뜻이다 이렇게 닿게 되면 기하학적인 지구 자체를 불공정한 둘이 내려저 가지않는가는 이야기이다 또한 라이터의 기능측정과 물에서의 기본적인 침투 삼투 현상이 일어난 것   이   다

또한 중요성에 대한 것을 샐물학적인 작용으로써 진화된다는 것이   다

완화자체에서도 오스트랄로피테쿠스 이 런 것 처 럼 천문학개념으로 별구역이라던지 이들이나게되어있다는 것이다 도 한 불 포 화 한 지 역 으 로   가 면 난잡하지않지만 생명체가 살때가 있다는 것이다 또하 의식성으로

써 느끼는 것보다는 칼로리나 높게 보이는 형상들이 뇌에 있으면 추가적으로 플러스가 되는 형상들이다 13가지의 지구를 보면 축구장 배구공 야구공 선박 멜론 등으로써 보면 자체에서도 지구의 속성들이 붙여지기 시작하나다 또한 기본적인 인생관념에서 떠오르기 시작한다 이중성으로 딱딱하고 수박의 무늬가 있고 시하지만 멜론은 뇌에서는 지구의 속성도 늘어가지만 지구감 등을지고 아파하는곳도 공기의 수증기 형상

때문이다 또한 알고리즘에서 이야기하기에 지구과학도 쉽사리 운명과 도형적인 부분을 갖추고 멀리감을 내야하는다는 것이다 그렇게 되면 엄청나게 수많은 지질적으로 이사수학과정이 들어나게 되어있다 또한 문학으로써 고학적 분석법이라던지 그 합당한 모델류를 골라서 삼투현상이나 세포분열 현상으로써 리프구간이 잇다는 것이다 포화 상태에서 = 1 - - - = + 1 + ! + ! + ! 1 1 1 이렇게 되는 증감함수에서의 가능하지만 변환률로 식물도 변화가 되면 나무의 크기로써 진화가 되는 것이다 그렇게 하면서 또한 뇌의 알고리즘으로써 세포망이나 배슬 현상을 이용한다는 것이다 지구의 심리가 있는상태에서도 긍정적인 각도에서 온도로 특정이 있단 것이다 그렇게 되면 상태기록이 라던지 문명에서의 지구의 자전이나 어떻게든 처음만들어 졌던 구상이나 공항기에 땅이 갈라졌다는 가뭄 설이다

브라질 예술의 뇌과학 의식과 인체신비론

발   행 | 2023년 11월02일

저   자 | 허윤제

펴낸이 | 한건희

펴낸곳 | 주식회사 부크크

출판사등록 | 2014.07.15.(제2014-16호)

주   소 | 서울특별시 금천구 가산디지털1로 119 SK트윈타워 A동 305호

전   화 | 1670-8316

이메일 | info@bookk.co.kr

ISBN | 979-11-410-5031-3

www.bookk.co.kr